WAAR IS DE ZON?

Evelyn Doyle

WAAR IS DE ZON?

the house of books

2 2. 06. 2007

Oorspronkelijke titel
Nothing Green
Uitgave
Orion Media, Londen
Copyright © 2003 by Evelyn Doyle
Copyright voor het Nederlandse taalgebied © 2007 by The House of Books,
Vianen/Antwerpen

Vertaling
Aafje Beijer
Omslagontwerp
Mariska Cock
Omslagdia
Getty Images/Jim Naughten
Opmaak binnenwerk
ZetSpiegel, Best

ISBN 978 90 443 1745 9
D/2007/8899/88
NUR 302

Met liefs voor Michael

Geloof me, ieder mens heeft zijn verdriet
dat geen ander kent
en vaak noemen we iemand koud
terwijl hij alleen treurig is

— LONGFELLOW

Dankbetuiging

Aan Trevor Dolby, hoofd publicaties bij Orion: voor zijn niet aflatende steun en vertrouwen in mij. Voor zijn geweldige gevoel voor humor en zijn 'luisterend oor' wanneer ik stoom moest afblazen. Het is een voorrecht hem als vriend te hebben.

Aan het andere fantastische personeel bij Orion – Pandora, Laura, Juliet en, natuurlijk, Gaby Young voor haar gedurfde reclame en voor het feit dat ze het eerste boek *Evelyn* op de markt heeft gebracht.

Aan Giles Gordon, mijn agent bij Curtis Brown: voor zijn wijze raad en het feit dat hij me het zelfvertrouwen gaf dat ik nodig had om verder te gaan.

Aan Kate Cooper, verkoop Buitenland bij Curtis Brown: succes en gefeliciteerd met je nieuwe baby. Bedankt, Kate, dat je er altijd voor me was.

Aan Kim Brownlee, mijn vriendin: zonder jouw hulp en steun zou deze onderneming een heel stuk moeilijker zijn geweest; reuze bedankt.

Aan Shiona Livingston, mijn beste vriendin en 'test publiek'. Iedereen zou een 'Shiona' in zijn leven moeten hebben.

Aan mijn broers: voor jullie geheugenopfrissertjes en niet-aflatende steun. Heel veel dank ook aan Elsie, mijn schoonzus; ik ben dankbaar voor jullie liefde en trots op mij. Aan Suzanne, Kevins partner: dat je op verschillende plaatsen boekenplanken hebt ingeruimd. Fijn dat je nu bij onze familie hoort.

Aan Nicola, Christopher, Tracy-Jane en Melonie, mijn lieve nichtjes en neef: mijn liefde en dankbaarheid voor jullie trouw en steun.

Aan Pierce Brosnan en Beau St. Clair bij Irish Dreamtime: hartelijk dank dat jullie mijn vaders heldhaftige daad op het witte doek hebben vereeuwigd.

1

Armoede is een woord dat niet door arme mensen wordt gebruikt. Wij wisten niet dat we arm waren omdat alle mensen om ons heen arm waren en dus voelden wij ons al rijk met een beetje. Een leeg boenwasblikje gevuld met zand om te hinkelen koesterde je als een schat. Houten tollen die je met kleurkrijt versierde vormden een eindeloze bron van rivaliteit. Een stuk touw dat je om een lantaarnpaal vastbond diende als een fantastische schommel en als lang springtouw. Terwijl de jongens verderop in de straat met een halflege, oude voetbal aan het voetballen waren, zongen wij al onze lievelingsliedjes, en als de bal in het touw terechtkwam kregen ze een scheldkanonnade over zich heen. Steentjes die we in vierkanten op de grond uitlegden waren de paleizen en herenhuizen waar wij, verkleed in de oude jurken en afgedankte hoge hakken van onze moeders, regeerden. Bezoekers die zo dom waren onze wereld binnen te stappen werden met een mengeling van tirannie, waardigheid en hooghartige lijdzaamheid behandeld. Kapotte kinderwagens veranderden in koetsen die door onwillige jongere broertjes werden getrokken; hun protestkreten werden beantwoord door weinig koninklijk geschreeuw als: 'Kop dicht of je kunt een klap in je gezicht krijgen.'

Moeders riepen dat het eten klaar was en deelden boterhammen met boter besmeerd en dik suiker of lekkere kaantjes erop uit. Onze broertjes verstopten zich achter muren en betonnen paaltjes waar ze op nietsvermoedende bierwagens, getrokken door prachtige, met glimmend koper behangen brouwerspaarden wachtten. Vervolgens sprongen ze achterop tot de koetsier hen opmerkte en een klap met zijn zweep gaf die hen over de vingers striemde, zodat ze weer terug op de weg moesten springen. Soms raakten ze gewond door achteropkomend verkeer en moesten gebroken botten en opengereten vlees in het ziekenhuis gerepareerd worden. Het enige medeleven van een bezorgde moeder was dan: 'Dat zal je leren! Al dat gerouwdouw van jullie ook – wat heb ik je gezegd?' Er was enorme opluchting wanneer er geen ernstig letsel was en later vertelde ze onder tranen aan haar buurvrouwen dat God haar kleine jongen had gespaard. Dan sloegen ze een kruis, schudden hun hoofd en waren het er allemaal over eens dat jongens nu eenmaal jongens zijn.

Het nieuwe babybroertje van Chrissie, mijn vriendinnetje, was heel erg ziek en haar moeder had Chrissies Heilige Communie-sluier over zijn kinderwagen gelegd, want: 'Zelfs als er een vlieg op hem neerkomt, zou hij die schok niet overleven,' vertelde Chrissie me op harde fluistertoon. Op zonnige dagen hobbelden we met hem de trap af en reden heel voorzichtig met hem rond.

Mary Lynch, het arme kind, kreeg polio. We zagen haar in geen tijden en toen ze thuiskwam kon ze helemaal niet meer lopen, maar soms mocht ze van haar moeder met ons mee naar buiten in haar rolstoel. De jongens duwden haar terwijl wij Chrissies broertje duwden, en wanneer we de straat uit waren deden we een wedstrijdje met de jongens en Mary. Soms wonnen wij omdat Mary bang was als de jongens zo hard renden en gilde dat ze langzamer moesten lopen.

Topper was de spaniël die van ons allemaal was of, anders gezegd, dat dachten we – aan het eind van de dag ging hij terug naar de familie Ryans. Wij behandelden hem gewoon als een van ons en deelden zelfs ons snoep met hem en lieten hem aan onze ijslollie likken; maar hij kon geen kauwgom eten en een van de jongens moest het uit zijn bek trekken omdat we dachten dat hij erin zou stikken. Als we racewedstrijden hielden konden we het niet uitstaan dat hij altijd het team van de jongens koos. Op een dag werd Topper overreden door de broodkar van bakker Kennedy, en Noel, mijn kleine broertje, en ik droegen hem – ook al was hij bijna even groot als Noel – terug naar ons huis, waar mama zijn poot waste en verbond. Mevrouw Ryan hield hem wekenlang binnen en zei tegen ons dat we niet goed op hem pasten. Toen hij beter was, kwam hij toch weer buiten spelen en vormde weer onderdeel van de club.

Op een ochtend kwamen we tot de ontdekking dat het grasveld voor ons huis vol stond met een stelletje smerig uitziende paarden die door zwervers waren achtergelaten. Van mama moesten Noel en ik de oude, zinken teil die buiten aan een spijker naast de keukendeur hing vol water laten lopen om de paarden te drinken te geven. Ik hield er niet van om dicht bij dieren te zijn, afgezien van de kippen en de varkens op de kloosterboerderij. Noel was daarentegen altijd een moedige soldaat zonder vrees. Als klein jongetje van zes had hij geprobeerd me langs een grommende Jack Russell te loodsen die erin was geslaagd onder de poort van oma's achtertuin door te kruipen. Het enige dat hij echter bereikte was een hap uit de achterkant van zijn broek. Oma had mijn gekrijs gehoord en kwam met haar bezem zwaaiend op de hond af rennen. Jankend droop hij af zoals hij gekomen was.

Nu smeekte ik mama om Maurice, een van mijn broertjes, in mijn plaats te sturen; ik zei tegen haar dat ik bang was.

'Wees toch niet zo'n bange wezel,' zei ze. Ik pakte een handvat van de teil beet. We wankelden onder het gewicht en het water klotste over de randen toen we de weg naar het grasveld overstaken. Mama stond bij de deur van de hal en spoorde ons aan om naar het midden van het grasveld te lopen waar de meeste paarden op het schaarse gras stonden te

13

grazen. Een paar paarden keken op en kwamen in korte galop op ons af. Ik liet mijn kant van de teil los en vloog hard gillend terug naar huis. Noel kwam achter me aan en sleepte de lege teil achter zich aan. Hij zei tegen mama dat dit mannenwerk was en dat je toch niets aan meisjes had. Mama bracht het water er zelf heen, maar ik zag dat de paarden er niet van dronken.

Naarmate de zomer vorderde, vonden we een haag vol met bramen en mama maakte taarten en jam. Maar toen we een picknick hadden van boterhammen met jam en wilde paddestoelen die we onder een boom vonden, goot ze ons lepels vol wonderolie door de keel; we waren een paar dagen lang hondsberoerd.

Zo'n gouden zomer als toen zou ik nooit meer meemaken.

Het jaar daarvoor had papa zijn strijd met de autoriteiten om mij en mijn broertjes uit de huishoud- en nijverheidsscholen terug te halen gewonnen. Hij had ons daar heen gestuurd – mij naar het High Park-klooster in Dublin, mijn broertjes naar een klooster in Kilkenny – als tijdelijke maatregel in de tijd dat hij werk ging zoeken in Engeland. Bij zijn terugkeer was hij tot de ontdekking gekomen dat de staat ons pas wilde laten gaan als we zestien waren. Na een strijd van bijna twee jaar had hij het voogdijschap over ons teruggekregen, en hij besloot in eerste instantie alleen de drie oudste jongens, Noel, Maurice en John – en mij naar huis te halen tot hij zijn draai had gevonden. Mijn jongere broertjes Kevin en Dermot zouden voorlopig in Kilkenny blijven.

Hij had een gemeentewoning gekregen in Finglas West, een nieuwe woonwijk met keurige huizen ten noorden van Dublin. Vlak voor onze eerste kerst thuis kwamen we aan en met ons viertjes was het kleine huis vol.

Wat een geweldig kerstfeest was dat! Mam, zoals Jessie wilde dat we haar noemden, zette onze allereerste kerstboom in de hoek van de woonkamer en liet ons zien hoe we slingers van crêpepapier konden maken om aan het plafond te hangen. Ze leerde me prachtige rozen voor een krans voor de schoorsteenmantel te maken, en door het hele huis rook je de kookgeuren. Papa en zij hadden hard gewerkt om het nieuwe huis voor onze komst klaar te krijgen. Mijn angst over het huis en de nieuwe moeder begon langzaam te verdwijnen. Eindelijk kwam de grote dag. We werden wakker van mam die van onder aan de trap met haar vreemde, Engelse accent hard naar boven riep: 'Opstaan, kinderen; het ontbijt is klaar.' Het klonk vriendelijk en elkaar opzij duwend om het eerst in de keuken te zijn vlogen we de trap af. Na het ontbijt doken we de woonkamer in en grabbelden onder de boom naar onze cadeautjes. Ik kreeg een speelgoedvleugel en papa leerde me 'O, Suzanna' spelen. Opa kwam op bezoek en nam zijn eigengemaakte kerstpudding en de gebruikelijke sinaasappelen en munten van zes pence mee. Even dacht ik aan mijn echte moeder en vroeg stilletjes aan Onze-Lieve-Vrouwe of ze er voor wilde zorgen dat zij net zo'n fijne dag had als wij.

Op tweede kerstdag laadde papa ons allemaal in de kleine auto en reed naar een landweggetje aan het eind van de start- en landingsbaan van het vliegveld. We aten dubbele boterhammen met tomaat en ei en dronken limonade uit kleine flesjes terwijl we naar de vliegtuigen keken die opstegen en landden. Ze vlogen pal over de auto heen en we gilden van schrik bij het lawaai en de angst dat een vliegtuig de auto zou raken. We waren geweldig onder de indruk toen papa vertelde dat hij met een vliegtuig helemaal naar Engeland en weer terug was geweest. Wij vroegen hem of hij de hemel had gezien toen hij boven in de lucht was.

De enige klus die papa en opa na de kerst konden krijgen was het schilderen van de hekken rond het Johnstown Park voor de gemeente: er waren honderden metalen hekwerken van meer dan een meter lang die in een laag betonnen muurtje om het park heen vastgezet waren, en papa was in een slecht humeur omdat het koud was en het vervelend, saai werk was. Na een paar weken zei hij tegen opa dat hij naar Engeland ging om gepast werk te zoeken; hij zou daar ook meer verdienen. Mam was van streek omdat ze achtergelaten werd met alleen 'de kinderen' als gezelschap. Ze had geprobeerd vriendelijk te zijn tegen de buren, maar het gros negeerde haar. Wij wisten allemaal dat het kwam doordat ze Engelse was, en erger nog, dat ze een protestant, of 'heiden' was zoals de meesten haar noemden. Als een van de kinderen buiten iets over mam tegen mijn broertjes zeiden, kregen ze een klap in het gezicht. Binnen korte tijd accepteerden de meeste kinderen in de straat gewoon het feit dat wij een andere moeder hadden; ze wisten allemaal dat zij niet onze echte moeder was omdat dat het hele jaar daarvoor in de kranten had gestaan, en wij hadden daardoor een zekere 'faam' gekregen.

Papa vertrok eind maart naar Engeland en ik voelde weer de bekende brok in mijn keel. Ik vroeg me af hoelang hij zou wegblijven en of hij ooit wel zou terugkomen omdat hij het helemaal niet erg scheen te vinden dat hij wegging. Na een snelle omhelzing had hij me een klopje op mijn hoofd gegeven en gezegd: 'Pas op je broertjes en help mama. Wees een lieve meid.'

Hij hield mam heel lang in zijn armen en kuste haar op haar mond voor hij in zijn auto stapte en wegreed. Het beviel me helemaal niet; ik had hem nog nooit mijn echte moeder zien kussen of in zijn armen nemen.

Ik miste papa en ik zat erover in dat hij helemaal alleen in Engeland was. Mam las wel eens een brief van hem aan ons voor en altijd was er een kleine boodschap om me eraan te herinneren dat ik de oudste was en 'je mama moet helpen'. Mam vertelde me steeds weer dat ik 'smerig' was en als de jongens buiten mochten spelen, hield ze mij binnen om me te laten zien hoe ik het 'huishouden' moest doen. Eigenlijk kon het me niet eens zo heel veel schelen. Ik had in het klooster ook karweitjes moeten doen, en de nonnen hadden ons verteld dat het ons voorrecht in het leven zou zijn om voor huis en gezin te zorgen, dus voelde ik me belangrijk. Ik probeerde het haar naar de zin te maken omdat papa dat van me verlangde. Maar als ze me 'smerig' noemde, schaamde ik me en voelde me ellendig.

Ik zat op de school in Dorset Street, aan het eind van dezelfde straat waar opa woonde. Om er te komen moest ik twintig minuten met de bus. Een enkeltje kostte een penny en 's maandags moest ik een penny voor 'de zwarte kindertjes' meenemen. Mam vond dat ze geen geld aan de kerk behoorde te geven als we het thuis zo krap hadden, dus kreeg ik die penny soms niet mee. Dan zat ik heel het stuk in de bus naar school te huilen omdat ik wist dat de priester die het geld op school kwam ophalen me er met de riem van langs zou geven. 'Verachtelijk ben je. Een ellendig, liefdeloos kind,' hijgde hij met een rood gezicht van drift bij elk van de zes slagen, en de kinderen die geen penny bij zich hadden beloofde hij 'eeuwig vagevuur'. Als een van ons zo dom was om toe te geven dat hij op zondag niet naar de mis was geweest, kende zijn woede geen grenzen. Als het warmer weer werd, mocht ik van mam geen sokken meer aan. Toen een meisje bij mij in de bus vroeg waarom ik geen sokken had, zei ik tegen haar dat het kwam doordat ik zulke warme voeten had.

Ik verlangde er wanhopig naar dat papa weer thuis was. Het leek wel of ik niet bij de familie hoorde. Mijn broertjes speelden het grootste deel van de tijd buiten op straat met hun vriendjes, en mam had in huis altijd iets voor mij te doen.

Een paar weken nadat hij was vertrokken las mam ons een brief van papa voor en vertelde ons: 'Je vader heeft geen geld meegestuurd,' en dat we ons moesten redden met het eten dat we nog van de vorige week over hadden. We wisten dat ze al een paar dagen lang geen sigaretten meer had gehad en we merkten dat ze niet met ons meeat aan tafel. Een aantal weken lang kwam er geen brief van papa en mam werd steeds kribbiger. Ze ging bij de deur staan als de postbode door de straat liep en als hij voorbijliep, riep hij naar haar: 'Geen post vandaag, mevrouwtje, het spijt me', en wenste haar een 'fijne ochtend'. Mams mond vormde dan een dunne, harde lijn en ze begon een tijdje met deuren en zo te slaan.

Eindelijk viel er een brief met een Engelse postzegel door de brievenbus. Papa had geschreven dat het hem speet, maar dat het hem langer gekost had om werk te krijgen dan hij had gehoopt en dat hij niet meer dan een paar pond kon missen. Mam wreef over haar voorhoofd, en ik dacht dat ze zou gaan huilen, maar ze haalde diep adem, trok haar schouders recht en zei: 'Oké, kinderen we moeten krijgsraad houden.'

Ze liet honger hebben en zonder geld zitten klinken als een spel dat we allemaal zouden moeten spelen. We moesten naar de vele bouwterreinen in de buurt gaan om brandhout te zoeken. En zij ging naar de stad en deed zo zuinig mogelijk met het geld dat papa had gestuurd. In het begin was het leuk om oude aardappelzakken te vullen met hout en door de werklieden te worden weggejaagd. Ik hoopte dat ik geen tweede meneer Gleason hoefde te gaan zoeken. Hij was de vreselijke, vieze oude man die me drie pence betaalde voor thee- en krentenkisten die we meneer Hennessey aftroggelden, de eigenaar van het kleine winkeltje in Fatima Mansions waar we woonden voordat onze echte moeder ons in de steek liet. Mam maakte een gerecht dat *scouse* werd genoemd, met aardappelen, uien en een minieme hoeveelheid lamsafval. Wij vonden het lekker. Soms kreeg ze voor een shilling van de slager een groot pakket met wat zij 'lever en longen' noemde. Ze maakte ook gortpudding. Dat leek op rijstepudding, maar dan van gort gemaakt. Ze probeerde het lekkerder te maken door er custardpoeder doorheen te doen; het smaakte afschuwelijk, maar we aten het omdat we honger hadden en

18

we probeerden er geen gekke gezichten om te trekken als zij keek. 's Avonds zaten we allemaal op de vloer om de radio heen die papa zelf had gemaakt en luisterden naar *Life with the Lyons*, een Amerikaanse komedie, en we hoorden een Engelse stem die zei: 'This is the BBC Home Service' en het volgende programma aankondigde. We konden maar niet begrijpen hoe deze stem helemaal over de zee vanuit Engeland kon komen en vroegen of papa ook over de radio kon praten.

Op een keer had ik heel erge honger. Ik pakte een snee brood en deed er margarine en een lepel suiker op, en ging die op het stoepje bij de achterdeur zitten opeten. Opeens stond mam achter me en greep de boterham uit mijn hand. 'Kleine dievegge die je bent!' Ze was echt boos. Ze stuurde me voor straf naar bed. 'En geen avondeten voor jou, juffertje, en ook geen ontbijt!' Ze duwde me de trap op. Ik was verbijsterd en beschaamd tegelijk; ze had me niet gezegd dat ik geen snee brood mocht hebben en hoe kon ik brood van mijn eigen huis stelen? Stelen was een zonde, en nu zou ik op zaterdag aan de pastoor moeten opbiechten dat ik brood had gestolen. God! Hoeveel weesgegroetjes zou dit me kosten? Mam schreeuwde of sloeg ons niet; het was altijd naar bed 'en geen avondeten, en ook geen ontbijt', en ze schold het ons maar zelden kwijt.

Mam hoorde dat er geld te verdienen viel met aardappels rooien en dat de boeren zelfs een vrachtwagen stuurden om werkers naar het land te brengen. We hielpen allemaal met een picknick klaarmaken van boterhammen met jam en limonade en gingen al om vier uur 's ochtends de deur uit. We wachtten naar het scheen urenlang aan het eind van de straat, maar er kwam geen vrachtwagen opdagen; we stonden aan het verkeerde eind van de straat te wachten. Koud, moe en ellendig kwamen we weer thuis. Mam zei niets, maar haar lippen vormden een dunne, harde lijn.

19

Niet lang daarna kwam papa thuis. Mam had hem geschreven en hem gezegd dat ze terugging naar Engeland, en dat hij maar beter thuis kon komen om voor zijn kinderen te zorgen. Ze was niet van plan in een land te blijven waar ze de kinderen voor wie zij de zorg had niet te eten kon geven en waar ze zelfs geen werk of het 'juiste einde van een verdomde straat' kon vinden als er wel werk te vinden was. Papa bleef thuis en kreeg als werk nog meer hekken te schilderen. Daar kreeg hij een heel slecht humeur van. Soms kreeg hij een opdracht om nieuwe huizen te schilderen op de bouwterreinen waar wij hout gezocht hadden. Dan was hij zijn oude, vrolijke zelf weer.

Op een avond stuurde papa mij eropuit om zijn avondkrant te halen. Toen ik in de winkel kwam schrok ik verschrikkelijk: op de toonbank lag een reeks kranten en in allemaal stond mijn foto op de voorpagina, met een vervolg van het verhaal van het jaar daarvoor. De persmensen hadden me kennelijk gefotografeerd terwijl ik buiten aan het spelen was. Ik vloog over het grasveld terug naar huis en sloeg de deur met een klap achter me dicht. Buiten adem stond ik met mijn rug tegen de deur geleund te huilen; mijn knieën knikten. Toen ik papa vertelde wat ik had gezien brulde hij als een boze beer. 'Stelletje schorem! Laten ze ons dan nooit met rust?'

Een paar weken later ging papa terug naar Engeland en mam vertelde ons dat wij zouden volgen zodra hij een huis had. Ik zei tegen mam dat ik niet naar Engeland ging. Dat was een land van heidenen en ik kon hoe dan ook niet zonder mijn kleine broertjes uit Ierland weggaan. Kevin en Dermott zaten immers nog in het klooster in Kilkenny.

'Je vader zal ze gaan halen zodra we gesetteld zijn,' zei ze tegen me. Ze had het altijd over papa als 'je vader'. Als hij in een slechte bui was zei ze altijd: 'Je vader heeft zijn eigen achterste gezien.' Papa was altijd vreselijk beledigd door deze opmerking en zei een paar uur lang niets tegen haar. Mam had een aantal vreemde, fantastische zinnen waar we, zelfs als ze boos op ons was, hardop om moesten lachen. 'Ik zal je een draai om je oren verkopen, brutaal kolerejong!' Maar ze 'verkocht' nooit een 'draai om de oren'.

De daarop volgende maanden, toen papa in Engeland was, kostte het haar de grootste moeite om voor voedsel en kleding voor ons te zorgen. We liepen samen met haar helemaal naar het winkelcentrum van Dublin en snuffelden op de vlooienmarkten naar kleren en wachtten aan het eind van de dag bij de kramen met etenswaren, en kochten dan goedkope groenten en fruit.

Soms had ze een paar shilling over en kocht dan een stuk cake met glazuur als traktatie, en een lamsnekstuk om een grote stoofschotel te maken. Ik geloof niet dat papa zich er ooit van bewust was hoe arm hij ons wel hield. Geloofde hij werkelijk dat drie of vier pond per week voldoende was om eten en kleren voor ons allemaal te kopen? Mam kocht absoluut geen kleren voor zichzelf, en ze moest haar sigaretten opnieuw gebruiken; zorgvuldig haalde ze het vloeipapier van de peuken af en bewaarde de tabak in een jampot om sjekkies van te draaien.

Tijdens de zomer waren wij kinderen maar zelden binnenshuis; zelfs ik mocht buiten spelen toen de dagen begonnen te lengen. Opa kwam twee of drie keer per week op bezoek en bracht zijn eigengemaakte brood mee; en ook al noemde hij mam nog steeds 'mevrouw Brown', toch nam hij altijd een pakje Sweet Afton-sigaretten voor haar mee en gaf hij haar een halve crown voor een zak kolen. En voor ons allemaal had hij altijd een lolly. Mam kocht geen kolen van het geld dat ze van opa kreeg; ze gebruikte het geld om eten te kopen en wij stroopten nog steeds de bouwterreinen af voor hout.

Toen we weer eens naar een bouwterrein gingen, zat een arbeider in het zonnetje zijn pakje brood op te eten. Wij stonden hem aan te staren terwijl hij op de enorme dubbele boterhammen met dikke plakken ham die er tussen uit staken zat te kauwen. Opeens wikkelde hij zijn middagmaal weer in het papier en duwde het mij in de hand. 'Hier! Alsjeblieft,' zei hij. Hij leek precies meneer Hennessey wanneer hij ons thee- en krentenkisten gaf. 'En nou wegwezen voor jullie je nog bezeren. Dit is geen plek voor kinderen.'

We vlogen naar huis met het kostbare pakketje en zelfs mam nam deel aan het feestmaal.

Aan het eind van de zomer liet papa ons overkomen; we moesten de volgende donderdagavond de postboot naar Liverpool nemen die vanaf de Dublin Quays vertrok. Mijn broertjes waren een en al opwinding omdat ze met een boot helemaal naar Engeland gingen. Ik wist het niet zo zeker. Ik had vriendinnetjes gekregen en was gewend. Bovendien woonden mijn kleine broertjes maar twee uur bij ons vandaan in de provincie. Engeland was niet alleen een land ver weg vol vreemde mensen die allemaal protestantse heidenen waren, maar ook zou mijn echte moeder ons nooit kunnen vinden als ze ooit nog eens terug wilde komen.

Mary Rooney, die naast ons woonde, vertelde me dat de Engelsen het angelus niet klepten, zodat je zelf moest proberen eraan te denken hoe laat het was. Dan, haar broer, die in Londen werkte, had haar verteld dat er zwarte mannen waren die Ierse katholieke meisjes kidnapten voor de handel in witte slavinnen. Ik zei dat ik voorzichtig zou zijn; ik wilde niet de rest van mijn leven in een wasserij werken. Ik wist dat het in een wasserij zou zijn, omdat ik een vrouw in de kloosterwasserij had horen zeggen dat ze 'alleen maar een stomme slavin' was. 'Hoe kan ik die herkennen?' vroeg ik haar. Ik kon me niet voorstellen hoe een zwarte man eruitzag. Hoewel we elke ochtend voor zolang ik me kon herinneren een penny mee naar school hadden genomen, voor de 'zwarte kindertjes' in Afrika, zoals ieder schoolkind in Engeland, was het nooit bij me opgenomen dat ze later grote mensen wer-

den. 'O, je herkent ze direct – ze hebben enorme aardappelzakken over hun schouder.'

Toen ik mam naar de zwarte handelaren in slavinnen
vroeg, zei ze tegen me: 'Doe toch niet zo dom', en ging verder met inpakken voor onze grote reis. De jongens waren
erop uitgestuurd om bij de winkels grote kartonnen dozen
te halen. Daar gingen al onze bezittingen in, behalve onze
schoenen en rubberlaarzen; die gingen in een groot boodschappennet dat helemaal uitrekte. Mam bond dik touw om
de dozen en maakte lussen als handvat. We hadden papa's
eigengemaakte radio uit elkaar gehaald en alle onderdelen en
radiobuizen tussen de dekens en lakens verborgen voor het
geval de Engelse douane de radio in beslag zou nemen. Mam
zei dat er niet voldoende plaats was voor het weinige speel-
goed dat we hadden; maar eigenlijk was het enige dat we wilden meenemen een teddybeer met één been die we een paar
weken daarvoor hadden gevonden. We waren ermee naar het
bureau van de Garda in het oude dorp geweest, en de aardige Garda daar zei dat we hem mochten houden als er niemand om kwam. Zes weken lang liepen we elke dag met z'n
allen naar het oude dorp om te kijken of de teddybeer was
opgeëist totdat we hem uiteindelijk mee naar huis mochten
nemen. 'Goddank!' zei de Garda toen we, bang dat hij van gedachten zou veranderen en de beer zou terugvorderen, uit het
bureau wegrenden. Maar hij kon niet met ons mee; ik gaf
hem aan Mary Rooney.

Op een donderdagochtend kwam er een man die al onze
meubels op een paard en wagen meenam. Hij gaf mam tien
pond voor het hele zaakje en ging ermee akkoord om onze
dozen naar de postboot te brengen. Toen het donker werd
trokken we de blauwe voordeur achter ons dicht en vertrokken als dieven in de nacht. Niemand uit onze straat kwam
ons gedag zetten. Opa wachtte ons op bij de boot. Onze dozen stonden op de met keien geplaveide kade naast hem. Het

23

was heel erg koud en de ijskoude regen prikte tegen onze benen. Opa vroeg een jongeman om de dozen voor mam aan
boord te dragen en gaf hem een halve crown voor de moeite.
Hij gaf de jongens een klopje op het hoofd en zei dat ze niet
moesten vergeten dat ze altijd Ieren zouden zijn, hoelang ze
ook weg zouden zijn uit 'ons groene land'; en terwijl hij mij
in zijn armen nam, zei hij tegen me: 'Goedenacht, mijn lieve
kind. "Scheiden doet zoveel lijden / dat ik je goedenacht zou
willen wensen tot het morgen werd".' Opa had voor iedere
gelegenheid altijd een citaat of aanhaling. Hij drukte me een
kleine penning met de Heilige Christoffel in mijn hand om
me 'te beschermen', totdat hij ook naar dat 'vervloekte oord'
kon komen, zoals hij Engeland noemde. Ik zou hem verschrikkelijk missen. Hij gaf mam een hand en we liepen de
houten loopplank op naar de postboot.

Het leek alsof heel Dublin was uitgelopen en daar stond te
zwaaien en vaarwel te roepen en familieleden te manen dat ze
gauw moesten schrijven. Oude vrouwen hielden jongere vrouwen vast terwijl ze samen stonden te huilen en kinderen scholen onder de jas van hun moeder om warm te blijven. Terwijl
de boot uit de baai wegstoomde, stond opa helemaal alleen op
een ander gedeelte van de kade met zijn grote, witte zakdoek
te zwaaien. Met een dikke brok in mijn keel zwaaide ik zo
hard ik kon terug en schreeuwde 'Dag opa!' terug. Hij zag er
heel eenzaam uit en ik wenste dat hij met ons meekwam. Ik
vroeg me af of Onze-Lieve-Vrouwe helemaal met me mee zou
gaan naar Engeland; ik hoopte van wel.

Mam en de jongens hadden een lange bank op het overdekte passagiersdek gevonden en schoven de dozen zorgvuldig tegen de zitting zodat er niemand over zou struikelen.
Nadat we de dubbele boterhammen met jam hadden opge-
geten die mam had klaargemaakt voor we uit Finglas vertrokken, kropen we dicht tegen elkaar aan. Een aardig be-
manningslid bracht ons een paar jassen en legde die over ons

heen. Algauw lagen de meeste passagiers op de andere banken die over het scheepsdek verspreid stonden te slapen. Een stuk of vijf mannen zaten in een wolk van sigarettenrook ver weg in een hoek met elkaar te kaarten. Wij waren te opgewonden om te slapen en te bang dat iemand onze dozen zou gappen – ons hele hebben en houden zat er uiteindelijk in. Mam zat de hele nacht een beetje te soezen.

Eindelijk kwam de boot aan. Een paar mannen hielpen ons met onze dozen terwijl we met de stroom mensen mee de boot af liepen naar een enorme loods met een glazen dak. 'Bij elkaar blijven, hoor,' zei mam steeds tegen ons. Er klonk een oorverdovend lawaai. Op het dak en de betegelde muren zat een dikke laag roet en vuil. Duizenden mensen liepen heen en weer, sommigen naar de boot en sommigen in onze richting; jonge mannen renden naar jonge vrouwen toe die huilden van blijdschap omdat ze weer met hun geliefden herenigd waren, en namen hen in hun armen en draaiden hen in het rond. De meesten schreeuwden zo te horen zo hard ze konden. Het echode helemaal tegen het glazen dak terug. Een groepje meisjes met felrode baretten op en koningsblauwe blazers aan baanden zich zigzaggend, voorafgegaan door een knappe vrouw, een weg door de menigte; het waren net dansende klaprozen die hun weg zochten door de enorme zee van saai grijs en bruin. We konden de vreemde accenten die we hoorden niet verstaan. Ergens vlakbij stond een trein te puffen en te sissen en tussen alles door hoorde ik een man 'Kathleen Mavurneen' fluiten. Ik dacht aan Ierland en miste het nu al. De mannen zetten onze dozen op de betonnen vloer en toen mam hen een munt wilde geven, weigerden ze beleefd en tikten tegen hun pet. Een van hen zei: 'U zult het harder nodig hebben dan wij, mevrouwtje.'

Mam zei tegen ons dat we moesten blijven staan waar we stonden en ging naar papa op zoek. Mijn broertjes en ik gingen in een kring om de dozen staan en vormden een klein eilandje te midden van de chaos. Na een poosje kwam mam terug en zei dat papa niet had kunnen komen om ons op te halen, maar dat we ons geen zorgen moesten maken, want hij zou ons in Manchester opwachten. Ze was erin geslaagd een steekwagen van een kruier te organiseren, en met enige moeite slaagden we erin de dozen daar bovenop te stapelen. Maurice moest het boodschappennet met de schoenen dragen.

We sloten aan achter de rij bij de douaneloods en keken steeds angstiger toe terwijl de douanebeambten in uniform de koffers en dozen van de mensen vóór ons openmaakten. Ze zouden vast en zeker papa's radio vinden, ook al was hij in onderdelen. We hielden ons allemaal aan een stukje van mams jas vast toen onze beurt kwam.

'U zult me een 'andje moeten helpen; de knullen kunnen 'et niet,' zei mam tegen de douanebeambte. Haar Engelse accent werd zwaarder en ze liet alle h's weg.

Hij kwam vanachter de lange tafel vandaan en zette met krijt een groot, blauw kruis op onze dozen. Hij gebaarde dat we verder mochten gaan, en zei tegen mam: 'Bij dat spulletje zal niet veel zitten waar ik belang bij heb, schat.'

Maurice, die zich heel gewichtig voelde, hield de beambte het boodschappennet ter inspectie voor en de vriendelijke man zette glimlachend een groot, blauw kruis op de zool van een van de schoenen die onderin door een van de mazen stak.

'Alsjeblieft, cocker, weinig kans dat je daar smokkelwaar in kunt verbergen, hè?' Het leek of hij door zijn neus praatte en de woorden korter maakte. Wij vonden het heel gek dat hij mam 'schat' noemde, en Maurice leek helemaal niet op een cockerspaniël.

Terwijl mam de kruiwagen duwde en de jongens daarbij hielpen de dozen in evenwicht te houden, liepen we de loods uit naar de trein die sissend en stomend stond te wachten om ons naar ons nieuwe leven te brengen.

2

De rode bakstenen rijtjeshuizen aan weerskanten van de smalle straat leken oneindig ver door te lopen. Er was geen tuin of boom te bekennen; eigenlijk was er niets groens te zien in Oxford Street, waar papa een klein huis had gekocht. De vierkante stenen schoorstenen braakten rook uit en een gele mist warrelde rond de grijze, leien daken.

Papa had ons met de auto van mams broer van het treinstation gehaald. Wij zaten achterin samengeperst met twee van de dozen en mam zat voorin op de passagiersstoel. Nu stonden we op de stoep voor een huis halverwege de straat. Papa zei tegen mam: 'Ik weet dat het niet veel lijkt, maar we gaan het opknappen.' Mam wilde ons alleen maar binnen hebben, weg van de koude, grijze straat, en gloeiende thee in haar blauw-met-wit gestreepte mok schenken.

Papa had gelijk. Het huis stelde vanbinnen ook niet veel voor. De kamers waren klein, koud en muf. De keukendeur kwam uit op een klein, betonnen plaatsje en tussen de buren en ons stond aan weerskanten een hoge, stenen muur. Ik had verwacht dat er een klein tuintje zou zijn, maar het enige groen was wat onkruid dat tussen de scheuren in een van de muren probeerde omhoog te komen. Achter op het plaatsje stond een oude, bouwvallige hut.

'Daar ga ik niet in!' kondigde ik tegen papa aan toen ik zag dat de 'hut' eigenlijk een buiten-wc was. Ik wist niet dat er boven in het huis een badkamertje was.

27

Mam zei dat ik maar beter kon gehoorzamen. 'Lieverkoek-jes worden niet gebakken, dus verbeeld je maar niks, dametje.' Ik voelde me gegriefd door de bitterheid in haar stem en was verbaasd dat papa haar kant koos. 'Je luistert naar je mama en doet wat ze je zegt, punt uit, begrepen?'

Een gevoel van ontzetting kwam over me; papa had me niet eens omhelsd toen hij ons op het station had opgewacht en het scheen hem niet te deren dat mam zo nors tegen me deed. Ierland en thuis leken nu heel ver weg.

Binnen een paar weken na aankomst stonden we allemaal op scholen in de naaste omgeving ingeschreven; de jongens gingen naar de basisschool en ik werd naar een middelbare meisjesschool zo'n anderhalve kilometer bij ons vandaan ge-stuurd. Het was een protestantse school en ik maakte me voortdurend zorgen over mijn ziel. Als ik mijn gebeden mom-pelde, zaten sommige meisjes in de klas te gniffelen, maar de meesten waren heel aardig en allemaal bewonderden ze mijn prachtige rozenkrans die de eerwaarde moeder in het kloos-ter me had gegeven; dat was nog maar vorig jaar geweest, maar het leek wel een heel leven geleden. Mijn klassennum-mer was drieëndertig en als mijn beurt kwam om mijn num-mer te zeggen werd het helemaal stil in de klas. 'Drieënder-tig,' mompelde ik dan met mijn Ierse accent en de meisjes giechelden het uit tot de lerares hen gebood op te houden en zich te gedragen. Alles was vreemd voor me. Het feit dat ik in het Engels met de leraren en leraressen moest praten maakte die eerste tijd moeilijk. Ik vergat het steeds en vroeg dan iets in het Gaelic aan de leraar of lerares of antwoordde daarin. Het Engels dat mijn nieuwe vriendinnen spraken was heel vreemd voor me. Niemand sprak de 'h' aan het begin van een woord uit en woorden die op een 't' eindigden wer-den met een soort 'hik'-geluid afgebroken. Ik was uren bezig met het oefenen van woorden met de 'th'-klank.

Om onze nieuwe schooluitrusting bij elkaar te krijgen, had mam een aantal zaterdagochtenden op rommelmarkten of - verkopingen doorgebracht. Ze was erin geslaagd een uniform te vinden dat enigszins leek op het schooluniform dat de andere meisjes op mijn school droegen: een ouderwetse marineblauwe overgooier met witte blouse, met daaronder een grote, blauwe onderbroek en zwarte veterschoenen die bijna pasten – 'je groeit er nog wel in,' zei ze tegen me. En het meest gênante van alles was dat ik van haar een afschuwelijke grijze, veel te lange getailleerde mantel moest dragen met een grijs bolhoedje met een donkerrood en gouden band, dat kennelijk afkomstig was van een moeder van een of ander rijk kind dat een particuliere school bezocht. Aankloppen bij papa had geen enkele zin; hij scheen de verantwoordelijkheid voor onze verzorging en welzijn aan mam te hebben overgedragen. Hij kamde niet eens meer mijn haar of deed er linten in zoals vroeger toen onze echte moeder nog bij ons was. Hij was een onvriendelijke, norse vader geworden die nauwelijks met ons sprak, behalve wanneer hij naar ons schreeuwde als we 'huisregels' overtraden, zoals mam de regels noemde waaraan we ons voortaan moesten houden. Ik dacht dat hij niet meer van me hield omdat ik altijd 'in moeilijkheden' leek te zitten.

Op een dag, niet lang nadat we in Manchester waren gearriveerd, nam papa me mee naar de stad. Ik was dolblij: we gingen er weer samen op uit! Toen we langs Deansgate liepen pakte ik zijn hand.

'Je bent nu te oud voor die onzin,' zei hij onvriendelijk, en duwde mijn hand weg. Ik begon te huilen en hij zei dat ik moest ophouden met grienen en maar moest opgroeien. 'Ik heb je hier alleen maar voor één ding mee naartoe genomen,' zei hij.

Hij liep met grote passen en ik moest op een drafje meelopen om hem bij te houden, maar hij ging niet langzamer

29

lopen. Op het laatst bleef hij staan en wees naar de overkant van de straat. 'Zie je hem?' Hij wees naar een grote, zwarte man die de ramen van een pub aan de overkant stond te wassen. De man had een groot, vriendelijk gezicht en hij glimlachte naar de voorbijgangers waarbij hij een prachtig, glinsterend wit gebit liet zien. Op zijn hoofd groeide dicht, wollig zwart haar. Hij was de eerste zwarte man die ik ooit had gezien en ik vond hem schitterend.

'Heb nooit medelijden met dat soort mensen, hoor je me?' Papa sprak in volle ernst. 'Ze kunnen er zielig uitzien en het is niet moeilijk om medelijden met ze te hebben.' De uitdrukking op zijn gezicht weerhield me ervan hem te vragen waarom. Was hij een van de slavenhandelaren over wie Mary Rooney me had verteld, vroeg ik me af, ook al had hij helemaal geen aardappelzak bij zich in de buurt?

Mam en papa kregen vaak ruzie en we hoorden dat het bijna altijd over geld ging. Eén keer zei mam dat ze werk ging zoeken.

'Je hebt verdomme werk, met voor mij en de kinderen te zorgen,' schreeuwde papa keihard.

Mam zat naar voren gebogen met haar handen slap tussen haar knieën hangend op het puntje van haar stoel; haar gezicht was uitdrukkingsloos. Na een hele tijd wees ze naar mij en zei met haar vlakke, langzame, monotone stem: 'Die daar is oud genoeg om haar steentje bij te dragen.' Ze pakte de grote jampot van de schoorsteen waarin de tabak zat die ze van de peuken van papa's en haar sigaretten had bewaard en rolde een dunne sigaret. Wat haar betrof was de zaak afgehandeld.

Weer voelde ik mijn maag ineenkrimpen. Herinneringen aan Fatima Mansions kwamen weer naar boven. Ik was bang dat ik weer de verantwoordelijkheid voor iedereen kreeg zoals ik toen had gehad, en ik kon me niet voorstellen dat het weer zo zou worden. De twee jaar in het klooster hadden me geleerd kind te zijn. Maar hoewel mam niet van me hield, zorgde ze wel voor ons allemaal.

Ik werd 'die daar' voor papa en mam; ik probeerde lief te zijn en alles te doen wat me werd opgedragen, en ik probeerde zoveel mogelijk uit de weg te blijven, maar het had geen zin – mam hield niet van me en papa praatte maar zelden met me. De enkele keer dat hij iets van liefde of vriendelijkheid tegen me liet blijken, begon mam ruzie te maken. Het was me allemaal een volledig raadsel en ik voelde me verbijsterd en ellendig. Ik wenste dat ik weer in het klooster was, waar zelfs harde woorden zacht werden gezegd en waar ik niet zo vreselijk mijn best hoefde te doen om aardig te worden gevonden.

Mams moeder kwam bij ons wonen. Ze was al heel oud en had een nog grotere hekel aan me dan mam. Ik moest mijn bed met haar delen. Ik klemde me aan de rand van het bed vast in een poging haar nergens aan te raken en als ik zeker wist dat ze sliep, ging ik op een jas op de grond liggen. De nachtmerries waar ik in het klooster last van had gehad kwamen weer terug.

Op een dag liep ik de keuken binnen en besefte dat mam met haar moeder ergens ruzie over had. Ik hoorde mam iets zeggen over 'het kind'. Toen ze mij zagen hielden ze onmiddellijk op met praten. 'Snotverdikkeme, maak dat je hier weg komt, lelijke bemoeial!' zei mam tegen me. Tegen haar moeder zei ze: 'Die daar is toch zo'n geniepig kind.' Ik vloog huilend naar mijn kamer. Ik besloot dat ik weg moest, maar ik was nog maar twaalf en kon nergens heen. In gedachten maakte ik een plan. Mam dreigde altijd dat ze me naar het klooster zou terugsturen. Als ik nu iets heel ergs deed, zou papa daar vast aan toegeven.

Toen ik me de volgende ochtend aankleedde om naar school te gaan, zag ik de handtas van de oude vrouw op de stoel in mijn slaapkamer staan. Met haar tandeloze mond wijdopen

31

lag ze hard te snurken; ik moest huiveren bij de aanblik. Ik deed de tas open en haalde er een briefje van tien shilling uit. Met trillende handen en mijn rug nat van het zweet rolde ik het briefje in de lengte op en stopte het tussen de band van mijn grijze hoed. Ik had geen idee wat ik met tien shilling zou doen wanneer mam niet ontdekte dat ik die had; het was een fortuin. Ik verstopte me in de wc achter in de tuin tot het tijd was voor school. Toen ik bij de voordeur was, hoorde ik mam roepen: 'Kom terug jij!' Mijn broertjes waren al weg naar school en ik wist dat ze het tegen mij had. Met een misselijk gevoel en bevend als een riet liep ik de woonkamer binnen. Mam en haar moeder zaten aan weerskanten van de schoorsteen; de oude vrouw zat op de schommelstoel heen en weer te schommelen en tikte met haar pantoffel ritmisch op de groen met oranje bloemen van het zeil. De twee leken net een paar hongerige kraaien.

Ik moest van mam mijn schooltas op de vloer leegmaken. 'Je bent een kleine dievegge, hè?'

Haar stem klonk zacht en kalm en ik werd er bang van; inmiddels beefde ik van top tot teen en kon het niet verbergen. Ik moest al mijn kleren uittrekken terwijl zij ze nazocht. Beschaamd en vernederd kruiste ik mijn armen voor mijn magere, naakte lichaam, maar zat erover in dat ze het briefje van tien shilling niet zou vinden; ik kon haar niet vertellen waar ze moest zoeken.

Ze zei tegen haar moeder: 'Weet u zeker dat u het had?' Haar moeder verzekerde haar dat ze gisteren haar pensioen had gehaald en dat ze zeker wist dat er twee briefjes van tien shilling in haar tas zaten voor ze naar bed ging.

Ik moest me weer aankleden en mam zocht weer in mijn schooltas. 'De deur uit,' zei ze. Net toen ik wegliep riep ze me terug en griste de hoed van mijn hoofd. Terwijl mam aan de band van de hoed trok, vroeg ik stilletjes aan Onze-Lieve-Vrouwe het me te vergeven dat ik had gestolen en dat ik op een protestantse school zat en om bij me te blijven als ik naar het klooster werd teruggestuurd.

'Ja, ik heb dat rotte geld van haar gepakt, dus stuur me maar terug naar het klooster,' schreeuwde ik tegen mam. Ik had nu niets meer te verliezen en kon me niet beheersen. 'Ik haat u! Ik haat u!' U bent mijn echte moeder niet.' Ik vloog de kamer uit naar de wc in de tuin en schoof de grendel voor de deur.

Die dag ging ik niet naar school. Ik moest van mam naar mijn kamer om daar op 'je vader' te wachten. Daar bleef ik heel de dag zitten; ze gaf me niets te eten. Toen papa thuiskwam vertelde ze het hem niet; dat deed ik.

'Dus nu kunt u me terugsturen naar de nonnen,' snikte ik.

Papa's gezicht verzachtte; hij knielde op één knie voor me neer pakte mijn handen beet – de eerste keer sinds lange tijd dat hij me zowaar aanraakte.

'Ebbs, je begrijpt niet hoe de vork in de steel zit. We hebben haar nodig en je moet je niet steeds zo tegen haar verzetten.' Hij wilde me niet geloven toen ik hem vertelde dat ik echt heel hard mijn best deed om haar zover te krijgen dat ze me lief vond. 'Ze zal nooit van je houden en als je groot bent zal ik je vertellen waarom; dat zou je nu niet begrijpen.' Hij ging verder en legde uit dat hij over een paar weken naar Ierland ging om Kevin en Dermot uit het klooster in Kilkenny te halen voordat 'de rotbroeders' – papa's uitdrukking voor de beruchte instellingen van de Christian Brothers in Ierland waar jongens uit het klooster heen gingen als ze elf jaar werden – ze kregen, en dat kon hij niet doen als mam niet bij ons was. Hij gaf me een klopje op mijn hoofd voordat hij mijn kamer uit liep en ik had het gevoel dat papa weer van me hield.

Toen ik eenmaal wat acclimatiseerde en aan de vreemde Engelse meisjes gewend raakte, was het heel fijn op school. Drie van mijn vriendinnen heetten Carol en een van hen kocht tijdens het speelkwartier 's morgens altijd een 'wagenwiel'-chocoladebiscuit bij het snoepwinkeltje voor me. Een andere vriendin, Kay, bracht bijna iedere ochtend dik beboterd, geroosterd brood in vetvrij papier gewikkeld voor me mee. Al mijn vriendinnen hadden geld om iets in het snoepwinkeltje te kopen, maar hoewel we van papa op zaterdagochtend altijd stipt drie pence zakgeld kregen, hadden we door de week geen geld om uit te geven. Soms vonden we een oud limonadeflesje en kregen dan drie pence statiegeld terug van een winkel, maar dat gebeurde maar zelden. Langzaamaan besefte ik dat wij arm waren in vergelijking met mijn vriendinnetjes op school. Geen van hen had meer dan één of twee broertjes, en toen ik hen vertelde dat ons gezin naar Ierse begrippen klein was, schudden ze hun hoofd en zeiden dat zij maar één baby wilden hebben als ze groot waren en trouwden.

De wandeling naar huis van school was een plezierig stuk lopen door een aantal van de betere straten in onze buurt. Ik hield precies in de gaten hoe de voorjaarsbloemen ervoor stonden die in de keurige tuintjes opkwamen en keek naar de zwellende bladknoppen op de kale, bruine takken van de prunussen en seringenbomen. In de zomer ademde ik diep de heerlijke geur van rozen en lavendel in. Als het koud werd in de herfst schuifelde ik door de knisperende, bruine bladeren die als een tapijt op de straten lagen en wist dat er weer bijna een jaar voorbij was, wat inhield dat ik weer een stukje dichter bij volwassen-zijn was. En dan zou ik de drukkende atmosfeer thuis ontvluchten.

De mooie straten maakten veel te gauw plaats voor de kale, smalle straten waar wij woonden. En iedere keer dat ik de hoek om liep, Oxford Street in, maakte mijn hart een sprongetje als ik papa's Ford Anglia in de verte voor onze deur geparkeerd zag staan. De angst sloeg me om het hart en mijn mond werd droog terwijl ik me probeerde te herinneren of ik soms iets vergeten had te doen dat tot de karweitjes behoorde die ik af moest hebben voordat ik naar school ging. Ik verafschuwde het om door de straat te lopen en mijn voeten werden steeds zwaarder terwijl ik zo langzaam als ik durfde naar huis sjokte.

Op een donkere, koude dag kwam ik met de gebruikelijke angst dichter bij huis. Opeens hoorde ik een cello. De treurige klanken van 'Vilia' uit de operette 'Het vrolijke weeuwtje' kwamen me tegemoet.

'Opa, opa!' schreeuwde ik terwijl ik over de ongelijke, met flagstones bestrate stoep naar huis rende. Alle angst verdween op wonderbaarlijke wijze uit mijn hoofd. Hij hoorde me en stond me al bij de voordeur op te wachten.

'Laat me eens goed naar je kijken. Alle mensen, wat ben je groot geworden.' Opa knielde op één knie neer en drukte me tegen zich aan toen ik me in zijn armen wierp. Die heerlijke, bekende geur van mottenballen, tabak, drop en Pears-zeep die opa was drong mijn neusgaten binnen en troostte me; ter plekke barstte ik in tranen uit. Sinds hij me al die maanden geleden op de Dublin Quays vaarwel had gekust, had ik niet meer zo'n liefdevolle omhelzing gehad. In het klooster kreeg ik ook niet vaak liefkozingen, maar dat gaf niet, want niemand werd omhelsd en ik had me daar niet ongewenst of onbemind gevoeld zoals zo'n groot deel van de tijd sinds we in Engeland waren komen wonen. Mijn opa kwam voortaan bij ons wonen, en nu hij hier was zou hij op me passen en alles zou weer goed worden.

Mams moeder en opa mochten elkaar helemaal niet. Opa had het over haar als 'dat onsmakelijke oude mens' en mams moeder noemde opa 'Lord'. Op een dag hadden ze slaande ruzie. De oude vrouw had alle sokken in huis gewassen. Er waren er tientallen en ze had ze overal te drogen gehangen: langs de schoorsteenmantel, waar een onplezierig ruikende damp langs de muur omhoog kronkelde en op het plafond in de nicotinevlekken grillige, witte sporen achterliet, over de stoelen en zelfs van de vensterbanken afhangend zodat zich kleine plasjes op de vloer vormden. Dit was te veel voor opa en hij ging achter haar aan en pakte de sokken weer op om ze in een grote hoop in een hoek van de kamer neer te gooien. Hij gaf me vanachter zijn krant een knipoog toen de oude vrouw de keuken binnenstormde. Ik zat hardop te giechelen.

Mam kwam de kamer binnen, wees naar mij en met de norse stem die ze meestal gebruikte als ze tegen mij praatte, beval ze: 'Jij daar! Pak op die sokken.'

Ik sprong overeind om te doen wat me was opgedragen, maar opa hield me tegen. Hij vroeg mam tegen wie ze wel dacht dat ze het had. 'U gebruikt die toon niet tegen mijn kleindochter en wees zo goed haar naam te gebruiken,' zei hij op zijn beste voorname toon. Mijn uiterlijk was voor hem niet onopgemerkt gebleven. Ik had vet en slap haar, mijn huid was grauw en afgetobd en mijn kleren roken onfris en waren duidelijk oud en versleten; het enige ondergoed dat ik had was het flanelletje en de marineblauwe onderbroek die mam voor me had gekocht toen de school begon.

Mams moeder ging onmiddellijk in de verdediging voor haar dochter en zei tegen opa dat hij niet zo tegen haar dochter mocht spreken.

Ik rende naar de wc in de tuin en verstopte me daar tot de ruzie voorbij was, Onze-Lieve-Vrouwe smekend dat opa bij ons zou blijven.

Toen papa thuiskwam was er weer ruzie over het feit dat hij 'dat onsmakelijke oude mens' in huis had. Mams moeder vertrok de volgende dag.

Wat vreemd waren mijn kleine broertjes toen ze thuiskwamen. Ze spraken met een gek plattelandsaccent en marcheerden overal heen, keurig met hun armen zwaaiend. Papa moest ze steeds vertellen dat ze zachtjes moesten lopen. Ze hadden nog nooit eerder een meisje gezien, alleen maar vrouwen en nonnen en ze verstopten zich achter papa toen hij zei dat ze mij gedag moesten zeggen; ze wisten niet dat ze een zusje hadden. Papa maakte een grote cake en versierde die met wit glazuur en met blauwe letters er bovenop geschreven 'Welkom thuis jongens'. Mijn echte moeder had hem geleerd hoe je cake moest bakken en decoreren; ze was meesterbanketbakker geweest voor ze met papa trouwde.

Het kleine huis was nu overvol en papa en mam werden steeds slechter gehumeurd. Mam had werk gekregen in de kantine van een jamfabriek in Trafford Park en moest 's ochtends al vóór zes uur de deur uit; 's avonds kwam ze pas ver over zessen thuis. Wanneer papa een bijzonder slecht humeur had, stonden we mam bij de bushalte op te wachten en lieten haar het eerst het huis binnengaan. We wisten dat zij papa zou kalmeren en wij kwamen dan een paar minuten later binnen. Soms kwam mam helemaal niet thuis van haar werk, maar lag een paar ochtenden later opeens weer in bed als ik papa zijn ontbijt bracht. We hadden geen idee waar ze was geweest of waarom ze op regelmatige tijden een paar dagen verdween, maar we durfden het niet te vragen. In de tijd dat ze van huis was had papa had altijd een slecht humeur. Als mam weer terug was, deed ze een tijdje aardiger tegen me, maar binnen een paar weken had ze het weer op mij voorzien. Ik wenste vaak dat ze maar helemaal wegbleef.

Papa werkte af en aan, maar het leek of hij vaker thuis was dan aan het werk. Hij kon slecht overweg met de meeste mensen met wie hij samenwerkte, vooral wanneer ze hem 'Paddy' noemden, wat steevast gebeurde. Hij was doodongelukkig in Engeland. Op een dag probeerde hij uit een baan ontslagen te worden door onder een bordje 'verboden te roken' te gaan zitten roken; dat mislukte omdat hij een van de beste schilders was die zijn werkgevers ooit hadden gehad. Wanneer hij niet werkte bracht hij zijn dagen achter de piano door; toen opa bij ons kwam wonen, speelde opa op zijn cello, en werd dan door papa begeleid. Wanneer papa geen werk had, speelde hij 's avonds in een pub piano en kreeg daar vijf pond per week voor en zoveel bier als hij kon drinken. Meestal had hij dan de volgende ochtend een snerthumeur en klaagde dat hij zeker een 'slechte dronk' had gehad. Mijn broertjes en ik moesten het grootste deel van het huishouden doen en voor het ontbijt zorgen. Papa vond huishoudelijk werk te min voor hemzelf; dat was vrouwenwerk. We moesten het doen voordat we naar school gingen, en de drie oudsten hadden om de beurt 'keukendienst', zoals mam het noemde. Ze rantsoeneerde het voedsel heel zorgvuldig. Ze gaf met een streepje op de melkfles aan hoeveel melk we mochten gebruiken, maar wij gebruikten gewoon meer en vulden de fles met water weer bij tot het streepje; er zaten altijd vierentwintig boterhammen in een brood – daar konden we niet mee sjoemelen, maar we namen om de beurt het kapje omdat het dikker was; en we leerden van haar wat een 'afgestreken' lepel suiker en thee was. We waren binnen korte tijd wel mager, maar niet zo fit als slagershonden. Papa, die de 'man' in huis was, moest het beste van het vlees en de groenten hebben. Dat was de Ierse manier van doen in die tijd. Hij stond erop dat al zijn groenten werden geschild en mam bewaarde de wortelschillen om er voor ons hutspot van te maken. Het kon ons niet zoveel schelen; wij kregen onze meeste voeding van de gratis schoolmaaltijden en het achtste litertje melk dat we op school kregen.

Papa huurde een televisie, de eerste die we ooit gezien hadden. Op de dag dat hij werd gebracht zaten we gebiologeerd naar *Andy Pandy* te kijken en iets dat een 'cricket test match' werd genoemd, een cricketwedstrijd tussen landenteams; wat een geweldig land was dit Engeland waar we de beelden bij ons in huis kregen. We mochten alleen naar het kinderhalfuurtje tussen vijf en halfzes kijken; daarna werden we naar de bijkeuken verbannen tot het om halfacht bedtijd was, voor het geval 'iets ongeschikts' onze jonge geest zou kunnen bezoedelen. Voor papa betekende iedere suggestie dat een man en vrouw elkaar zouden kunnen gaan kussen 'iets ongeschikts' en als het erop leek dat ze elkaar een kus gingen geven, vloog hij van zijn stoel overeind en rende naar voren om de televisie uit te doen. 'De smeerlappen,' schreeuwde hij dan. Maar wanneer hij in de pub was mochten wij, de oudere kinderen, soms programma's als *Dixon of Dock Green* en *Rawhide* kijken; mijn broertjes floten de herkenningsmelodie van *Dixon of Dock Green* om elkaar te waarschuwen als papa op het punt stond hen te betrappen op iets dat ze niet mochten doen. Wij mochten niet buiten op straat spelen. Papa dacht dat de Engelse straten niet veilig voor kinderen waren; er woonden hoe dan ook niet veel kinderen van onze leeftijd bij ons in de buurt – niet dat er Engelse kinderen zouden zijn die veel te maken wilden hebben met een stelletje smerige Ierse kinderen. Behalve dat we naar school gingen en naar de winkels renden om boodschappen te doen voor papa en mam, was zondagmiddag het enige moment dat we buiten kwamen. Ongeacht wat voor weer het was moesten mijn broertjes en ik 's middags het huis uit om een stuk te gaan wandelen. Meestal gingen we naar het park vlak bij ons in de buurt, waar schommels, draaimolens en glijbanen waren, en 's zomers luisterden we er naar de fanfareorkesten die in de mooie ronde, rode muziektent speelden. Als het echt koud en nat was zaten we op de schuilplekken waar oude mannen hun dag doorbrachten. Soms waren wij de enige mensen in het park behalve de 'parky', de parkwachter die ons om vier uur het park uit joeg. 'Hebben jullie geen huis waar je naartoe kunt?' zei hij altijd, en dan moesten we op straat rondlopen tot de tijd dat we weer naar huis mochten.

Op een dag schuilden we voor de koude motregen onder de groen-met-wit gestreepte markies van een snoepwinkeltje en kozen uit de etalage wat we wilden hebben als we rijk waren en een heel pond konden spenderen aan wat we maar wilden. We raakten helemaal opgewonden van het kiezen van de naar ons idee duurste snoepjes in de grote, glinsterende potten die op een rij in de etalage stonden. Ik zou een half pond kokospaddestoelen kopen en een paar Pontefract cakejes voor opa; de jongens wilden de geel met zwarte toverballen, citroenzuurtjes, piramidevormige, doorzichtige sinaasappellolly's en uiteraard die meest onbereikbare, de koning van alle zoetwaren, een Marsreep. We hielden op met schreeuwen toen we een heel deftige dame de winkel binnen zagen gaan en haar door de ruit heen een enorme doos chocola zagen kopen. Toen ze de winkel uit kwam bleef ze staan, keek ons aan en draaide zich om, om verder te gaan, maar veranderde van gedachten en liep terug naar ons. Wij stonden nog steeds naar haar te kijken. Aan haar gezichtsuitdrukking te zien dachten wij dat we iets verkeerds hadden gedaan, maar ze keek ons treurig aan en gaf me een munt van twee shilling. 'Koop er maar wat toffees voor, kindlief,' zei ze, en liep snel weg. Ik zei tegen mijn broertjes dat we een speciaal weesgegroetje voor deze mevrouw moesten zeggen; ze was zo aardig, ze was vast en zeker katholiek.

De bijkeuken was de plek waar mijn broertjes en ik onze hechte band smeedden. We zaten er zachtjes te fluisteren en onze toekomstplannen te smeden, en plozen het verleden en ons leven uit zoals dat in het klooster was geweest. Kevin en Dermot waren een en al verwarring en verbijstering door dit ding dat gezinsleven heette, waar er voortdurend naar ons werd geschreeuwd en we van papa vaak een draai om onze oren kregen en waar we in het weekend honger hadden omdat er geen schoolmaaltijden waren. Het leek wel of we niets goed konden doen en we werden regelmatig zonder avondeten naar bed gestuurd. Soms slaagden we erin een snee brood met jam naar boven te smokkelen naar het ongelukkige slacht-

offer van een werkelijk of denkbeeldig misdrijf; als opa in de
buurt was kwam hij tussenbeide en zei tegen papa en mam
dat ze wreed waren. Dan kwam er een grote ruzie en hing er
nog dagenlang een afschuwelijke atmosfeer in huis.

Het leek of mam aan Dermot een even grote hekel had als
aan mij, maar de anderen probeerden voor hem uit te kijken.
Papa had ons verboden om huiswerk voor school te maken
en had op school gezegd dat het pech was als ze ons overdag op school niet konden bijbrengen wat we moesten leren,
maar dat we thuis andere verplichtingen hadden; desondanks
verlangde hij van ons dat we allemaal goede cijfers haalden.
Goddank waren we door onze kloosterscholing allemaal ongeveer twee jaar voor op de rest van onze klas. Op een dag
kwam Noel niet op de gewone tijd thuis uit school. Naarmate de minuten voorbij tikten werd papa bozer en bozer en
schreeuwde wat hij met dat 'stomme jong' zou doen als hij
thuiskwam. Om een uur of vijf was het donker en nog steeds
was er van Noel niets te bekennen. Papa liep de deur uit,
sloeg die met een klap achter zich dicht en reed als een idioot
naar school, waar hij te horen kreeg dat Noel moest school-
blijven omdat hij het brandblusapparaat had aangezet. Papa
vond het klaslokaal en stormde naar binnen. De onderwijzer,
die maar één meter vijfenvijftig lang was, had geen enkele
kans. Papa greep hem bij de keel en wilde weten waarom hij
een kind liet nablijven tot het al donker werd. 'Hij moet verdorie een drukke straat oversteken, stuk onbenul,' brulde hij
tegen de ongelukkige man en liet hem weer op zijn stoel zakken. Daarna hoefden de jongens van Doyle nooit meer school
te blijven. Papa was er niet echt bezorgd over geweest dat
Noel de straat moest oversteken; het had er meer mee te maken dat Noel dan achter was met zijn huishoudelijke karweitjes en de mogelijkheid bestond dat papa zelf de asla
moest legen en kolen uit de kelder halen.

Opa bleef hoofdzakelijk op zijn kamer wanneer wij uit

school thuiskwamen, maar we mochten even bij hem 'op bezoek gaan'. Dan herinnerde hij ons er aan dat we 'trotse Ieren' waren en dat in dit 'van God verlaten land' nooit mochten vergeten. Hij stond erop dat we in het Gaelic tegen hem praatten. Hij liep beneden altijd met een zweetsok rond zijn hoofd gewikkeld; opa's remedie tegen hoofdpijn. Als er ook maar een beetje lawaai was, zei hij tegen de jongens dat ze 'jonge, onnozele hufters waren zonder enige consideratie voor oudere mensen'. Opa gaf mij nooit een uitbrander en hij beschermde mij zoveel mogelijk voor mams scherpe tong.

Mijn gelukkigste momenten waren met opa toen hij me piano ging leren spelen. Twee keer per week hadden we dan de 'mooie kamer' voor onszelf. Mam klaagde dat ik achter kwam met mijn werk in huis; opa zei tegen haar dat mijn muzikale ontwikkeling belangrijker was dan afwassen en snotzakdoeken wassen. Zij mocht misschien denken dat George Bernhard Shaw gelijk had toen hij zei: 'Het huis is de gevangenis voor het meisje en het armenhuis voor de vrouw.' 'Maar niet voor mijn kleindochter, o, nee!' maakte hij duidelijk en gebaarde haar dat ze uit de zitkamer moest weggaan.

Papa leerde Noel en Maurice klarinet spelen. Noel had er niet veel zin in en weigerde koppig om zijn wangen 'plat' te houden of om te oefenen. Dan brulde papa tegen hem: 'Wil je op dit verrekte ding spelen of niet?' Op een avond zei Noel dat hij helemaal niets wilde spelen. Papa schreeuwde tegen hem dat hij een 'verdomde nietsnut' was en sloeg hem om de oren. Noel vond het dat waard, want daarna hield papa op met hem les te geven en hoefde hij niet meer urenlang toonladders en etudes te oefenen, en wij bewonderden hem allemaal om zijn moed dat hij papa trotseerde. Maurice had daarentegen talent en toewijding voor muziek en je kon hem halverwege de straat al horen als hij uren voor het open slaapkamerraam stond te oefenen. Later won hij een plaats op het atheneum en een beurs op een gerenommeerd conser-

vatorium, de Northern School of Music in Manchester. Hij
was nog maar vijftien toen hij een plaats aangeboden kreeg
in het Huddersfield Symphony Orchestra (dat geleid werd
door een heel bekende componist). Maar van papa mocht hij
die positie niet innemen omdat hij hem 'te jong' vond. De
drie jongste jongens werden genegeerd waar het hun muzikale vorming betrof.

Ik was bijna dertien en onze derde kerst in deze koude, grauwe stad kwam snel dichterbij. Mam zag er moe en ziek uit
toen we over de kerstversiering begonnen. Ze zei dat we dit
jaar het huis niet zouden versieren. 'We moeten veel te veel
rekeningen betalen. Ik weet dat je vader werkt, maar de hemel weet hoelang dat duurt!' legde ze aan ons uit. Wij gingen
er niet tegenin – dat mocht niet – maar we wisten dat we misschien nog wel wat cadeautjes zouden krijgen als papa zijn
baan nog een paar weken kon vasthouden. Het ging er in
deze tijd van het jaar op school vrolijk en gezellig toe, en ik
had een rolletje in het kerstspel gekregen. Ik moest de moeder van de kreupele jongen in *The Pied Piper* spelen. En dan
was er ook nog het schoolkerstfeest om naar uit te kijken.

Op een dag, een week of drie voor Kerstmis, liep ik blij van
school naar huis. Toen ik vlak bij ons huis was hoorde ik dat
zich pal achter onze voordeur de verschrikkelijkste ruzie af-
speelde. Papa en opa hadden wel eens eerder ruzie gehad,
maar dit was anders. Ze zeiden afschuwelijke dingen tegen
elkaar en opa vloekte. Ik sloeg mijn hand voor mijn mond en
probeerde te horen wat er precies aan de hand was.

'O, alstublieft, Moeder van God, laat opa alstublieft niet
bij ons weggaan,' smeekte ik stilletjes terwijl ik de rozenkrans
die ik verstopt onder mijn schoolblouse om mijn hals droeg
door mijn vingers liet glijden. Papa noemde opa een 'een verrekte, bemoeizuchtige kolerevent' en brulde: 'Eruit! En vlug
wat. Eruit, ik wil u nooit meer terugzien!' Ik was buiten me-

zelf van angst; maar het zou wel weer overwaaien – het was tenslotte bijna Kerstmis. Opa zei iets in het Gaelic, maar ik kon het niet verstaan, en daarna: 'Evelyn is hier helemaal niet verantwoordelijk voor. Niemand heeft je gedwongen dat rotmens bij je te nemen, maar jij staat zonder iets te doen aan de kant en laat haar mijn kleindochter als een dienstmeid behandelen. Vind je niet dat ze al genoeg heeft meegemaakt?'

Wat had ik gedaan? Het koude zweet stond me op de rug en ik begon te trillen als een espenblad. Waar hield papa me verantwoordelijk voor? Ik leunde tegen de deursponning, te bang om het huis binnen te gaan. Opeens ging de deur met een ruk open en ik viel bijna het halletje binnen. Opa kwam naar buiten met in zijn hand zijn bruinleren, tweedelige koffer. Papa kwam pal achter hem aan. Beiden hadden ze een bleek gelaat; hun adem ging zwoegend en hun ogen stonden verwilderd.

Papa zag me en trok me bij de kraag van mijn jas het huis binnen. 'Naar binnen, jij.'

Opa zei dat hij zijn handen van me af moest halen en zette zijn koffer op het paadje. Hij kwam de hal binnen, trok me bij papa vandaan en sloeg zijn armen om me heen.

'Ik moet terug naar Ierland, lieve kind. Deze vervloekte Engelse vochtigheid is niets voor mijn oude botten; vaarwel en God zegene je.' Hij liep de voordeur uit en zei tegen me dat ik op zijn cello moest passen en af en toe de strijkstok over de snaren moest halen. Toen was hij verdwenen.

'Niet weggaan, opa,' huilde ik. 'Toe, ga alstublieft niet weg.' Ik wilde hem achterna lopen. Vanuit de deuropening keek ik hem na terwijl hij kaarsrecht door de natte, winderige straat liep en mijn wereld viel uiteen; mijn leraar, mijn beschermer was weg.

Papa zei dat ik naar mijn kamer moest gaan. Terwijl ik mijn jas in de gangkast hing, liep mam langs me heen. Ze had gehuild. Ik wilde haar vragen wat er aan de hand was, maar ze keek me boosaardig aan en zei dat ze me haatte.

Die nacht werd ik weer geplaagd door mijn nachtmerries. Ik zat midden op een hele brede, betonnen trap met lage treden met in mijn armen een strak omwikkeld bundeltje; toen ik het bundeltje loswikkelde viel het vlees van een klein baby'tje eraf als gare kip van het skelet. Badend in het zweet en huilend werd ik wakker, en heel even vroeg ik me af of mijn kleine broertje Dermot wel in leven was gebleven toen hij in dat afschuwelijke jaar voordat mijn echte moeder ons in de steek had gelaten in zijn kinderwagen verbrand was.

Van opa heb ik nooit meer iets gezien of gehoord.

3

In de dagen na opa's vertrek hing er een sfeer van vertwijfeling in het al mistroostige huis. We deden stilletjes onze huishoudelijke taken en praatten op fluistertoon terwijl mam in de woonkamer zat te roken en koude thee uit haar grote, blauw-met-wit gestreepte mok dronk; ze zat als een man, voorovergebogen, wijdbeens, met de ellebogen op haar knieën, haar mok in de ene hand en haar sigaret in de andere.

Op een nacht lag ik in bed en wachtte tot papa uit de pub thuis was. Ik had zoals gewoonlijk zijn avondeten gemaakt en het afgedekt in de kelderkast gezet. Het was onveranderlijk hetzelfde: twee hardgekookte eieren in de dop, een in plakjes gesneden tomaat, drie koude varkensworstjes en drie sneden brood met roomboter. Soms kreeg hij de eieren niet goed gedopt en waren er happen uit het eiwit. Als hij in een heel slecht humeur was liet hij me nieuwe eieren koken.

Toen ik de voordeur met een klap hoorde dichtslaan hield ik mijn adem in en wachtte. Meestal hoorde ik hem naar de keuken lopen en even later zijn slaapkamerdeur dichtdoen. Dan slaakte ik een zucht van opluchting en kon slapen. Die avond ging hij niet naar de keuken; er was doodse stilte. Na een tijdje sloop ik mijn kamer uit om boven aan de trap te gaan luisteren. Papa zat te huilen, precies zoals hij had gedaan toen mijn echte moeder ons vijf jaar geleden in de steek had gelaten. Hij hoorde me niet toen ik stilletjes de woonkamer binnenliep en even naar hem stond te kijken. Ik kon het niet verdragen. Ik rende naar hem toe en sloeg mijn magere armen om hem heen. 'Papa, papa, is opa dood?' Ik kon niet bedenken waarom papa anders zo zat te huilen. Ik had hem overvallen en vlug veegde hij zijn gezicht droog met zijn grote, witte zakdoek. Toen hield hij me een stukje van zich af.

'Het spijt me, het is allemaal jouw schuld niet, niets is jouw schuld. Ze moet het niet op jou afreageren. Het was haar eigen keus,' zei hij terwijl hij me recht, met betraande ogen aankeek. Ik zei niets; hij was erg lichtgeraakt en ik was bang dat ik dit zeldzame ogenblik zou bederven.

'Zal ik een kop thee voor u maken?' vroeg ik hem nadat hij een tijdje in het vuur had zitten staren. Hij knikte en toen hij zijn kop leeggedronken had, zei hij zachtjes: 'Ga nu maar naar bed. Het komt wel goed.'

Lang nadat papa zijn slaapkamerdeur had dichtgedaan lag ik nog klaarwakker in bed. Ik wist dat hij het over mam had gehad, maar wát reageerde zij op mij af? Ik wist dat ze een hekel aan me had, en tot nu toe had ik gedacht dat het kwam door iets wat ik had gedaan; er was iets anders, maar wat?

Papa was niet vaak thuis nadat opa was vertrokken; na het werk ging hij de meeste avonden naar de pub en we zagen hem nauwelijks. Mam maakte lange dagen in de kantine van de fabriek. Ze ging met de jongens naar het bedrijfskerstfeest; ik mocht niet mee. Het kon me niet schelen. Ik wachtte tot ze de straat uit waren en glipte stiekem via de achterkant van het huis naar buiten, het lange steegje uit dat achter de eindeloze rij huizen liep en bracht de rest van de dag door met een van mijn schoolvriendinnetjes. We gingen naar Shirleys huis en zij deed mijn haar in een dansende paardenstaart, en Shirley leende me een van haar jurken met een meterswijde rok, een paar onderrokken van 'paper nylon' plus een paar queenies; ik voelde me net een prinses. In de woonkamer dansten we de jive op Cliff Richard, Little Richard en

Bill Haley and his Comets. We zuchtten dramatisch bij de treurige liedjes van de Everley Brothers; we zaten te giechelen en te roddelen bij de komische serie *The Bunty Girls*, en dronken milkshakes die de moeder van Shirley voor ons maakte. Dit was een warm, gelukkig gezin met een jonge moeder die met 'onze' popsongs probeerde mee te zingen en een vader die zijn hoofd om de deur stak om hallo te zeggen en weer weg te gaan. Het viel me op dat de atmosfeer altijd precies hetzelfde bleef als voordat hij thuiskwam, en Shirley keek alleen maar in zijn richting met: 'Ha, die pap.'

Popmuziek, dansen, moderne kleren en vriendjes of vriendinnetjes meenemen mocht bij ons thuis niet van papa. Eigenlijk was de enige persoon die bij ons op bezoek kwam een Ier die vrijdagsavonds goedkope cornflakes voor ons meenam; hij werkte in de Kellogg's fabriek bij Trafford Park. Eén vrijdagavond kwam hij niet en de week daarop vertelde hij papa dat er een man in de schuit met Rice Krispies was doodgevallen; het bedrijf had de fabriek de rest van de dag gesloten. De Ier was boos omdat 'ik er verdorie een dag loon bij heb ingeschoten'. Hij sloeg een kruis en vroeg God om zich over de ziel van de arme man te ontfermen.

Papa vond dat rock 'n roll en de populaire muziek 'rotzooi' waren; zijn idee van amusement voor ons was dat we allemaal op de keukenstoelen tegen de muur van de woonkamer naar hem zaten te luisteren terwijl hij klassieke muziek op de piano speelde. Het recital eindigde altijd met zijn favoriete nummer, de Hongaarse Rapsodie No. 2 in C mineur van Liszt. Papa speelde nooit met het linkerpedaal van de piano ingedrukt. Soms hadden we een nog groter 'feest' als hij met zijn oude, tweedehands viool als een zigeuner in een film om ons heen liep en zich naar een van ons toe boog terwijl hij al zijn gevoel in 'La Paloma' of zijn lievelingsmelodie, 'Meditation', legde. We deden ons best hem niet uit te lachen; dat zou ons een stevige klap om de oren hebben opgeleverd. Na ieder stuk muziek zei hij altijd met een tevreden zucht: 'Ja, ja, jullie vader is een genie.'

Tot grote afkeer en woede van mam kocht papa een ultramoderne bandrecorder met spoelen van 18 cm voor het belachelijk hoge bedrag van 63 pond.

'En waar denk je dat wij verdorie het geld vandaan moeten halen voor dat rotding?' wilde ze van papa weten terwijl ze een superdun sigaretje rolde uit haar tabaksjampot.

Hij zei haar dat ze zich geen zorgen moest maken – het was maar zeven shilling en zes pence op afbetaling; voor een hard werkende arbeider was dat toch niet te veel gevraagd om een beetje plezier te hebben?

Diep de rook van haar sjekkie inhalerend slaakte mam een zucht. 'Was je verdorie maar een hard werkende arbeider, dan zou het niet zo verrekte beroerd zijn,' wierp ze hem toe, tegelijkertijd een wolk rook uitblazend, en zoals gewoonlijk kwam er slaande ruzie van. Mam leek niet naar papa's geschreeuw en geraaskal te luisteren; ze staarde passief voor zich uit en slurpte luidruchtig van haar thee uit haar halve-litermok.

Papa nam zijn 'opnamesessies' uiterst serieus en verstopte zelfs de klok onder een kussen zodat de microfoon het harde tikken niet zou opvangen; wee ons als we hoestten of snuften als hij aan het opnemen was. Op een keer had Dermot een loopneus en het kostte hem de grootste inspanning die niet op te halen; vergeefs probeerde hij de stroom met de palm van zijn hand terug in zijn neus te duwen. Daarbij had hij helemaal niet in de gaten dat Noel, Maurice en ik, vanaf onze stoelen die op een rijtje tegen de muur aan de overkant stonden, met schokkende schouders van het lachen naar hem zaten te kijken en probeerden stil te blijven. Natuurlijk beseften we niet dat papa deze pantomime in de weerspiegeling van de pianopanelen kon zien, tot hij ontplofte van woede en ons om de oren slaand naar boven joeg tot die magische vier-

de tree, waarna hij ons niet meer kon bereiken. Hij liep ons
nooit echt tot de slaapkamers na en eenmaal voorbij de vier-
de tree waren we buiten zijn bereik. Hij ging weer verder met
opnemen en zei ons dat we een 'verdomd stelletje nietsnut-
ten' waren. Wij drieën waren blij dat de rest van het 'concert'
ons bespaard bleef.

Afgezien van de gebraden kip die papa klaarmaakte voor het
eten – hij maakte altijd het kerstmaal klaar – was de kerst dat
jaar een schamele aangelegenheid. Wij moesten na afloop
uiteraard de boel opruimen; we waren altijd blij dat we niet
al te veel pannen en borden bezaten. We kregen ieder ons cadeau van een halve crown en mochten overdag een paar uur
televisie kijken, maar verder was het een dag als alle andere.
Er was helemaal geen feestelijke stemming, geen plezier. We
hoorden hoe de buren aan weerskanten vrienden en familie
begroetten met daarna luide gesprekken en gelach; af en toe
hoorde je buiten blij geroep van: 'Vrolijk kerstfeest, mensen,
bedankt.' De meeste kleine ramen aan de voorkant van het
huis waren verlicht met fonkelende, gekleurde kerstboomver-
lichting die een betoverende aanblik gaf wanneer de ruiten
besloegen en mooi weerspiegelden op de natte, grijze weg.
Het gaf de straat een knus, behaaglijk gevoel. Zelfs de oude
mevrouw Atkinson, die aan de overkant van de straat woonde en de hele dag op een stoel net binnen de open voordeur
moeizaam naar adem hapte terwijl ze de ene Woodbine na de
andere opstak, zette een klein kerstboompje met lichtjes en
zilveren engelenhaar voor haar raam. En ze kreeg mensen op
bezoek die met armen vol cadeaus haar huis binnengingen.

Ik dacht aan opa en aan mijn moeder en bad Onze-Lieve-
Vrouwe dat ze hun een gelukkig kerstfeest zou geven. En ik
dacht dat dit de eerste keer in mijn herinnering was dat er
geen kerstpudding was.

Op een koude dag in februari zat papa bij een fel brandend vuur toen ik uit school kwam.

'Opschieten, Ebbs, we hebben op je zitten wachten,' zei hij toen ik op weg naar de keuken de woonkamer binnenkwam. Mijn maag kwam omhoog en ik voelde de angst ijskoud over mijn rug lopen; er was iets verschrikkelijk fout: papa was te aardig. Een heerlijke geur van gekookt voedsel drong mijn neusgaten binnen, en toen ik de keuken binnenliep zaten mijn broertjes daar aan tafel met hun bord vol met varkensworstjes en fijngestampte aardappels met fijngesneden ui erdoorheen en doperwtjes, niet de dikke erwten uit blik die we meestal kregen. Ik ging aan tafel zitten. Papa pakte een bord eten van een pan met kokend water en zette het voor me neer. Hij had het warm voor me gehouden, zei hij. Als enig bedankje kon ik niet meer dan een vaag glimlachje te voorschijn brengen. Ik kon niet praten, mijn mond was kurkdroog geworden en ik had vlinders in mijn buik. Papa stond nonchalant tegen het kozijn van de deur geleund en stak een sigaret op, ondertussen rustig met de jongens pratend. Een en al verwarring zat ik met kleine hapjes te eten. Wat was er aan de hand? Ik keek naar papa's ontspannen, glimlachende gezicht en instinctief wist ik dat hij een onaangename verrassing voor ons in petto had. Misschien ging hij ons allemaal wel naar de kloosters terugsturen. Toen we klaar met eten waren zei hij dat we nog maar even moesten wachten met opruimen; hij had ons iets te vertellen. We liepen achter hem aan naar de woonkamer en stonden naar onze schoenen turend op een rijtje voor hem.

'Jessie is bij ons weg,' kondigde papa kalm aan. Dit was de eerste keer dat ik me kon herinneren dat hij mam tegenover ons Jessie noemde. Er was geen boosheid, rancune of spijt in zijn stem; het was een sobere mededeling, zoals: 'Het regent vandaag' of 'Ik moet gaan tanken.' Een verbijsterde stilte volgde en onze hoofden schoten omhoog om hem aan te kijken.

Hij keek ons ook aan; wij wachtten tot er meer kwam, maar dat kwam niet. Ik keek naar mijn broertjes; er stond niets op hun gezicht te lezen en ik had er geen idee van hoe ze het nieuws opnamen. Zouden we allemaal naar een of andere Engelse huishoud- en nijverheidsschool worden gestuurd? Waren er van die kloosterscholen in Engeland? Misschien gingen we wel terug naar Ierland en de kloosters waar hij ons vier jaar geleden met zoveel moeite uit had gekregen. Kevin en Dermot droomden urenlang over hun vroegere leventje in het klooster en hoopten dat ze teruggestuurd werden; de andere jongens namen iedere dag gewoon zoals hij kwam en werkten zich er gelaten doorheen, in de hoop dat het niet erger zou worden. Ik daarentegen had besloten dat ik zodra ik de kans kreeg zou weglopen en naar mijn echte moeder op zoek zou gaan.

Ik wist dat mijn echte moeder voor mij de beha zou kopen die ik zo verschrikkelijk hard nodig had. Alle meisjes in mijn klas droegen er nu een, hun borsten stijf op hun plaats ingekapseld en een eindje onder hun kin naar voren uitstekend; die van mij dansten gênant onder mijn gymnastiekbloesje en ik trok mijn schouders op in een vergeefse poging ze te verbergen. Mam had tegen me gezegd dat ze zich de twee shilling en elf pence die het zou kosten om er een te kopen niet kon veroorloven; evenmin kon ze zich een nieuwe marineblauwe onderbroek veroorloven, ook al zat het enige exemplaar dat ik voor gymnastiek moest dragen vol stoppen en was het me veel te klein geworden.

Mijn echte moeder zou me hebben verteld dat ik niet doodging toen ik op een ochtend wakker werd en bloed op mijn laken vond en vreselijke buikpijn had. Ik gaf mijn kleine schatten – behalve mijn rozenkrans, die ik bevallig over mijn gevouwen handen zou draperen als ik sereen in mijn kist lag – aan mijn broertjes en zei hun dat ik ze niet meer nodig had. Ik moest ze terugvragen toen een lerares op school me vertelde dat ik 'begonnen' was, hoewel ze niet vertelde waarmee. Ze verzekerde me dat ik nog heel oud zou worden. 'Zo kunnen wij vrouwen baby's krijgen,' legde ze uit. Ik wilde geen baby, en dat zei ik haar ook; ze glimlachte en zei dat ik naar mijn klas terug kon gaan.

Mijn echte moeder zou me hebben verteld hoe belangrijk het nu was om heel schoon te zijn en dat ik nu een jonge vrouw werd. Ze zou maandverband voor me hebben gekocht en me geen oude schort hebben gegeven om er lappen van te scheuren die ik na gebruik in koud, zout water moest weken en in een oude pan moest opkoken zodat ze klaar waren voor de volgende keer; ik was altijd als de dood dat mijn broertjes ze zouden zien. Mijn vriendinnetjes waren veel te beleefd om me te vertellen dat ik stonk, maar toen een van de leraressen me vol walging van zich af duwde besefte ik het en werd bloedrood van schaamte en vernedering. Maar ik wist niet wat ik eraan kon doen. Het interesseerde mam niet en ik kon het toch ook niet aan papa vragen. Ik begon mijn onderbroekje elke avond in koud water te wassen en met het grote, groene stuk huishoudzeep dat we gebruikten om onszelf te wassen, schoon te boenen. Daarna hing ik het over de stoel in mijn kamertje. Vaak was het 's winters nog kletsnat als ik het de volgende ochtend aantrok. Mam zei dat het gevaarlijk was om mijn haar te wassen of een bad te nemen als ik 'de rode vlag' had. Ze weidde er niet over uit en mijn broertjes dachten dat ik een of andere afschuwelijke, ongeneeslijke ziekte had. Ze keken me steels aan en vermeden het om me aan te raken. Het scheelde er nog maar aan of Kevin en Dermot sloegen een kruis als we bij het eten om de keukentafel zaten en zij naast me moesten zitten. Ik vond het reuze grappig, maar kon hun niet vertellen dat ik alleen maar ongesteld was – over zulke dingen werd bij ons thuis nooit gesproken. De jongens hoopten dat zij niet 'de rode vlag' zouden krijgen. Ik zei dat het iets voor meisjes was en dat ze zich geen zor-

53

gen hoefden te maken. 'Het is iets dat wij vrouwen moeten slikken,' zei ik terwijl ik mijn hoofd in de nek wierp en probeerde heel volwassen te lijken.

We vroegen papa niet waar mam was of waarom ze was weggegaan. Ze was al een paar keer eerder weggegaan, maar nog bijna voordat wij haar misten, was papa er altijd in geslaagd haar te vinden en weer terug te brengen. Ze had geprobeerd om weg te gaan voor wij uit Ierland vertrokken en was precies tot de veerboot gekomen. Papa vertelde ons dat het voortaan anders zou gaan. 'Als we samen ons best doen lukt het wel.' Niet dat hij tot nu toe erg zijn 'best' had gedaan, maar dat deed er voor mij niet toe. Ik had mijn oude vader terug en ik voelde een golf van blijdschap door me heen gaan. Jessie had de jongens goed behandeld, dat wil zeggen, behalve Dermot, en zij zeiden niet hoe ze het vonden dat ze weg was. We gingen gewoon door met ons leventje.

De week daarna kreeg papa werk als onderhoudsschilder in de Kellogg's-fabriek. Zijn goede humeur was gebleven en we begonnen te ontspannen wanneer hij in de buurt was; als hij weg was riskeerden we het zelfs om de televisie aan te zetten en naar *Top of the Pops* en *Z-Cars* te kijken. Als we zijn auto voor de deur hoorden stoppen, sprongen we overeind, deden de televisie uit en vlogen naar boven, de jongsten voor ons uit duwend. Hij betrapte ons nooit.

Papa scheen plezier te hebben in zijn werk bij de cornflakes; hij liep opgewekt te fluiten als hij zich 's ochtends klaarmaakte om te vertrekken. Hij kocht een colbertje van echt Harris Tweed dat naar turf en Old Spice-aftershave rook, en gaf ons een paar pence als hij 's avonds uitging. 'Koop maar wat lekkers en lief zijn tot ik thuis ben,' zei hij dan; geen dreigementen of waarschuwingen of wat ons te wachten stond als de dingen niet in orde waren als hij thuiskwam, zoals hij eerst altijd deed. Onze angst voor hem verdween.

Aan het eind van zijn eerste werkweek gaf papa me tien shilling om 'wat noodzakelijkheden' te kopen. Hij bedoelde ondergoed. Ik kreeg een kleur van genoegen en, nauwelijks mijn goede geluk gelovend, maakte ik als de bliksem mijn huishoudelijke werk af. Shirley en Kay gingen met me mee naar de markt en we waren tijden bezig een behaatje uit te kiezen, een marineblauwe onderbroek en witte enkelsokken, en van hen kreeg ik een paar oude, katoenen schooluniformen voor de zomer. Eindelijk voelde ik me gelijk aan de andere meisjes in mijn klas; ik kon niet afwachten tot ik 's maandags naar school ging en ik, me heel mooi voelend in mijn roze katoen, mijn schouders naar achteren trok en trots mijn nieuwe, puntige borsten, gevangen en zo hoog mogelijk onder mijn kin opgetrokken, liet zien.

Papa had vriendschap gesloten met een mevrouw die in de fabriek werkte en op een zaterdagmiddag nam hij me mee naar haar huis. Ze maakte koffie en toen ik zei dat ik dat niet lekker vond, moest ik van papa mijn kopje leegdrinken en ook nog dat van hem. Ik stond op het punt tegen te stribbelen toen hij me de bekende, kille, strenge blik toewierp die zei: 'Doe het, want ánders!' Ik dronk allebei de kopjes leeg. Ik keek vanuit de deuropening van de keuken toe hoe deze mevrouw, boven de gootsteen geleund, haar make-up opdeed. Ze had een strakke rok aan en droeg hoge hakken, en haar bovenlichaam was slechts bedekt door een prachtige kanten beha. Ze zei niets, maar keek af en toe zonder te glimlachen naar mij. Na een tijdje zei ze dat ik in de woonkamer moest wachten tot ze klaar was. Ze riep papa naar de keuken en toen hij eruit kwam ging hij met me naar huis; hij was in een slecht humeur, maar niet op mij. De mevrouw zag ik niet meer terug.

Papa was nog steeds heel streng voor ons en we hadden een gezond respect voor hem, maar we kwamen niet meer iedere dag doodsbang uit school thuis, ons afvragend of we iets ver-

55

keerds hadden gedaan of, erger nog, of we waren vergeten om iets goed te doen. Hij had alle kamers opgeknapt en had een prachtig, abstract patroon op de keukenmuren geschilderd. In de badkamer had hij een zeegezicht getekend met een vlucht meeuwen op het plafond. Ik herinnerde me dat hij al die jaren geleden, voor ons leven op zijn kop was komen te staan, een oerwoud op de badkamermuur van onze flat in Fatima Mansions had geschilderd. Toen hij de vensterbanken aan de buitenkant schilderde, leken ze net echt marmer, en veel buren vroegen of hij hun vensterbanken niet ook kon doen. Hij vroeg er maar tien shilling voor en nog eens tien shilling om de deuren van het halletje te marmeren. Hij werd heel populair in de straat en iedereen noemde hem vol respect 'meneer Doyle'.

Mijn broertjes en ik deden boodschappen voor de oude mevrouw Atkinson en ze gaf ons altijd een paar pence. We misten haar toen ze een weekje naar Blackpool ging, maar ze nam een hele berg roze met witte pepermuntzuurstokken voor ons mee terug. Toen papa het zag, gaf hij me opdracht alles terug te brengen naar dat 'smerige oude wijf'. Ik voelde me vernederd, maar deze aardige vrouw begreep het. We bleven boodschappen voor haar doen, maar zorgden ervoor dat papa er niet achter kwam. Hij vond het niet erg dat we naar de buren naast ons, meneer en mevrouw Evans, een ouder echtpaar uit Wales, gingen. Hun huis was kraakhelder en stond vol glimmende Chinese versieringen en er hingen frisse, schone netgordijnen voor de ramen. Ze waren allebei dik en rond met sneeuwwit haar, hadden een lachend gezicht en een grappig, zangerig accent. Meneer Evans had een korte, zorgvuldig geknipte witte baard en was kunstenaar; hij gaf me een schilderij van de vallei in Wales waar hij bijna tachtig jaar geleden was geboren. Het was even mooi en groen als Ierland en ik hing het op in mijn slaapkamer. Sinds we in Engeland gearriveerd waren, had ik geen groene velden gezien

en vaak, als het verlangen naar mijn echte moeder me over-
weldigde zag ik ons in gedachten langs de oever van de rivier
lopen die door het prachtige dal op het schilderij liep.
Naarmate de weken voorbijgingen werd ik een vakkun-
dig huisvrouwtje. Ik was opgetogen toen papa een glanzende
nieuwe Hoover combi-wasmachine voor me kocht. Hij was
bijna een uur bezig me uit te leggen hoe hij werkte en schoon-
gemaakt moest worden, ook al zou een aap dat in nog geen
vijf minuten hebben begrepen. Het kostte me al mijn zelfbe-
heersing om geïnteresseerd genoeg te lijken om hem te ple-
zieren. Ik beschouwde mezelf als 'de vrouw des huizes' en
was zo blij als een kind van dertien onder de omstandigheden kon zijn. Papa was uiteraard heel erg de 'heer' des huizes en soms kwam er zonder waarschuwing een flits van het
oude, slechte humeur naar boven dat ons er pijnlijk aan herinnerde waartoe hij nog steeds in staat was.

4

Op een ochtend in het begin van mei bracht ik papa's ontbijtblad naar zijn slaapkamer. Hoorde ik daar nu die losse hoest? Halverwege de trap bleef ik staan luisteren. Nee, dacht ik hoofdschuddend, ik heb me zeker vergist. Het enige dat ik hoorde waren mijn broertjes die met hun dagelijkse karweitjes begonnen. Noel was bezig de asla in de woonkamer leeg te halen; als het 's ochtends koud was wilde papa graag dat het vuur al brandde. De anderen rammelden in de keuken met de borden en waren hard pratend bezig de tafel te dekken. Een van hen gaf een bons op de keukendeur toen hij naar de wc achter in de tuin liep. Nee, ik verbeeldde me dingen. Met het dienblad op één arm balancerend klopte ik op papa's slaapkamerdeur en wachtte een paar tellen tot ik hem, zoals gewoonlijk, hoorde zeggen: 'Ja, kom maar binnen.'

Voorzichtig duwde ik de deur open om er niet met het dienblad tegenaan te stoten zodat papa zou schrikken en boos zou worden, en ging de donkere kamer binnen. Desondanks kon ik de kraaiachtige gestalte die voorovergebogen in bed een sigaret zat te roken goed onderscheiden. Ik verstarde en bleef als aan de grond genageld staan terwijl mijn gedachten vol ongeloof het bont gestreepte vest registreerden dat over haar schouders lag. Jessie was terug.

'Nou! Blijf daar niet zo stom staan kijken. Geef je mama haar ontbijt,' was het enige dat papa zei terwijl hij een sigaret opstak. Mijn handen beefden oncontroleerbaar en het serviesgoed rammelde toen ik het dienblad op het tafeltje naast het bed zette. Jessie zei niets. Ik keek naar haar toen ik me omdraaide om de kamer uit te lopen, maar ze staarde alleen maar voor zich uit en nam diepe trekken van haar sigaret. Uit niets liet ze blijken dat ze mijn aanwezigheid had opgemerkt.

Beneden zaten mijn broertjes rond de keukentafel hun cornflakes te eten. Ik zag hen nauwelijks toen ik omhoog reikte om de blauw-met-wit gestreepte mok van een halve liter van de plank te pakken. Nee, dacht ik, die krijgt ze niet. Ze drinkt maar uit dezelfde mok als alle anderen – en ik liet de mok op de met zeil bedekte stenen vloer vallen; met een klap viel hij in gruzelementen.

Ik was woest. 'Ze is weer terug,' zei ik knarsetandend tegen de jongens. 'Laat een van jullie maar een mok naar haar toe brengen,' en ik vluchtte naar buiten naar de achtertuin en sloot mezelf op in de wc zonder hun reactie op het verpletterende nieuws af te wachten. Hoe kon papa dit doen? vroeg ik mezelf telkens weer af. Waren we de afgelopen drie maanden niet gelukkig geweest? Nu wist ik zeker dat Onze-Lieve-Vrouwe niet met me was meegekomen naar Engeland. Ik wist zelfs niet zeker of ze wel uit het klooster met me was meegegaan. Goed, ik had haar gesmeekt of ze opa wilde laten blijven, maar had verder niets gevraagd, alleen maar gehoopt dat zij voor me zou zorgen; maar opa had gelijk, dit was inderdaad een slecht en van God verlaten land. Ik pakte de rozenkrans die ik om mijn hals had van onder mijn jurk vandaan. Ik staarde er even naar en liet de kralen tussen mijn vingers door glijden terwijl de woorden van de eerwaarde moeder in mijn hoofd echoden: ze had gezegd dat de rozenkrans me zou beschermen en dat Onze-Lieve-Vrouwe altijd bij me zou zijn; maar dat was niet zo. Ik klemde het gouden crucifix vast in mijn hand en zei mijn laatste weesgegroetje:

Wees gegroet, Maria, vol van genade;
De Heer is met U;
Gij zijt de gezegende onder de vrouwen...

Mijn gebed gaf me geen troost en ik gooide de prachtige rozenkrans ver weg in het diepe, donkere gat onder in de ouderwetse toiletpot. Ik trok aan de lange, roestige ketting die aan de stortbak boven mijn hoofd hing. Ik keek onbewogen toe toen hij met de krachtige stroom water om de ondiepe bocht van de pot uit het gezicht verdween. Nu stond ik er alleen voor. Ik wist dat ik op een goede dag mijn echte moeder en opa zou vinden. Wat papa ook zei, deze vrouw zou ik nooit als mijn moeder accepteren en ik besloot dat ik me zelfs niet zou inspannen om haar zover te krijgen dat ze van me ging houden. Ik voelde me verslagen en boos en huilde bittere tranen. Nooit noemde ik haar meer mam; ze werd Jessie. Uitdagend liep ik naar het huis terug om onder ogen te zien wat er op me lag te wachten.

Misschien was het de arrogante manier waarop ik naar haar keek, misschien was het iets dat was gezegd voordat ze bij ons was weggegaan; misschien was het dat ik even groot was als zij – maar wat het ook was, tussen Jessie en mij werd zonder woorden een moeizame wapenstilstand uitgesproken. Ik zorgde ervoor dat ik, als het maar enigszins mogelijk was, niet rechtstreeks tegen haar sprak en dan nog in korte, afgebeten zinnetjes. Als papa binnen gehoorsafstand was, deed ik met een bedrevenheid die niet bij me hoorde eerbiedig en vol respect tegen Jessie, maar we wisten beiden dat oorlog niet ver weg was; het was slechts een kwestie van tijd wie het eerste schot zou afvuren. Ik hoefde niet lang te wachten.

Op een keer riep papa me naar mijn slaapkamer. Ik ging naar binnen en keek geschokt naar mijn bed. Ik had het gevoel of mijn benen het onder me zouden begeven terwijl ik vol ongeloof naar de enorme hoeveelheid snoepwikkels, verpakkingen van vissticks en snoepdoosjes van Maltesers staarde die over de dunne spiraal verspreid lag. Mijn matras was teruggerold en lag op de vloer bij het voeteneind van het smalle, ijzeren bed.

'Nou, ik hoop dat je hier een verklaring voor hebt, klein mormel dat je bent,' bulderde papa.

Ik was helemaal confuus en kon geen woord uitbrengen. Waar was dit allemaal vandaan gekomen en waarom lag het daar? Maar toen ik Jessie achter mij de kamer hoorde binnenkomen, twijfelde ik er niet meer aan wie dit daar had neergelegd.

'Ik zei je toch, Dessie, dat ze steelt bij het leven.' Er klonk iets triomfantelijks door in Jessies stem terwijl ze me een emmer en de bezem in handen duwde.

Sinds Jessie was thuisgekomen was papa niet meer zijn oude harde zelf geweest, en soms had hij me zelfs aan het zingen gekregen terwijl hij piano speelde. Hij had Jessie gezegd dat ik met de juiste scholing een goede kans had om een behoorlijke sopraan te worden; mijn muziekleraar op school had aan hem geschreven dat ik een 'goede stem' had en dat het heel jammer zou zijn als die verloren zou gaan. Ik was opgetogen; ik hoopte dat ik Maurice achterna kon, die op de Northern School of Music zat.

Maar nu gaf hij me een klap in mijn gezicht zodat mijn oren ervan tuitten en ik sterretjes zag. 'Nou, donderse meid dat je bent, waar komt dit allemaal vandaan?' Hij was buiten zichzelf van woede.

Ik kon hem geen antwoord geven. Ik probeerde het, maar er kwam geen geluid uit mijn mond. Er kwam weer een klap en ik tolde dwars door de kamer heen. Toen Jessie zich omdraaide om weg te lopen kruisten onze blikken elkaar en ik zag angst in haar gemene, magere gezicht. Ik verdroeg zijn woede nog een paar minuten, maar het leken wel uren. Eindelijk ging hij naar beneden. Ik kon mijn broertjes horen huilen, maar ik was niet in staat naar hen toe te gaan en hen te troosten; ik voelde me te zwak om overeind te komen. Op het laatst hoorde ik de voordeur dichtslaan toen papa naar de pub ging. Ik haalde de troep van de spiraal en vroeg me af waarom er verpakkingen van vissticks bij zaten. Ik maakte mijn bed weer op en ging er bovenop liggen. Mijn broertjes kwamen een voor een binnen en ik probeerde hen te vertellen dat alles met mij in orde was, maar mijn gezicht begon op te zwellen en de jongsten huilden. Daarna doezelde ik weg.

Opeens ging het licht uit en ik schrok me bijna dood. Heel even kon ik me niet herinneren waarom alles zo'n pijn deed.

'Alsjeblieft, kindje. Drink dit maar op dan zul je je wel wat beter voelen.' Jessie kwam naar me toe met een kop en schotel met dampende thee. Ik zei niets toen ze me de thee aangaf.

'Ik wil niet dat je problemen krijgt met de politie, kind, dus moest ik het wel aan je vader vertellen.' Haar stem klonk verzoenend en ze maakte aanstalten om de kamer uit te lopen.

'Jessie,' zei ik zachtjes. Het was de eerste keer dat ik haar bij haar naam noemde en het overrompelde haar. Ze liep terug naar het bed en deed haar mond open om iets te zeggen. De duivel kreeg mijn hand te pakken en ik gooide de kop en schotel recht naar haar hoofd zodat ze de hete thee over zich heen kreeg. De kop en schotel vielen kapot op de kale houten vloer. Terwijl de thee door haar zwarte, vette haren droop en druppeltjes op haar gezicht vormden, keek ik haar vol weerzin aan. Als ze aan mijn vader vertelde wat ik zojuist had gedaan, zou hij me vast en zeker vermoorden, maar het kon me niet schelen. De twee oudste jongens vlogen de kamer binnen met een blik van afschuw op hun gezicht die in andere omstandigheden komisch zou zijn geweest. Maar ik was verbaasd toen Jessie tegen hen zei: 'Het is in orde, ga maar weer naar beneden. Ik heb een ongelukje gehad.' Ik hoorde hen de trap af klepperen en roepen: 'God, nu heeft ze het gedaan!' en 'Papa zal haar vermoorden'; maar ik wist nu dat Jessie het niet aan papa zou vertellen. Ik wist ook dat ik de eerste slag had gewonnen; maar de oorlog zou nog lang niet voorbij zijn en ik wist dat mijn kans op een overwinning praktisch nihil was.

Er kwam een nauwelijks merkbare verandering over Jessie. Ze probeerde me te betrekken bij het gezellige geklets van alledag tussen haar en de jongens, maar ik hield me liever op een afstand van haar. Ik vertrouwde haar niet en wist dat ik voor haar op mijn hoede moest zijn; ik besefte hoe gevaarlijk ze kon zijn.

Wanneer papa weg was, hield ze ons bezig met fantastische verhalen over haar heldendaden tijdens de oorlog. Als je haar moest geloven had ze bijna in haar eentje de oorlog gewonnen en was Churchill een persoonlijke vriend van haar. Natuurlijk was prins Philip verliefd op haar, maar had hij zijn plicht vóór zijn persoonlijke gevoelens laten gaan.

Ik lachte met de jongens mee op de avond dat we, nadat ze ons had verteld dat ze een valse houten teen had, gefascineerd toekeken hoe ze haar lelijke, grijs geworden nagel met haar nagelknipper knipte.

'Mam, als dat een houten teen is, hoe kan er dan een nagel op groeien?' vroeg Maurice, de slimmerik of de moedigste van ons allemaal, aan haar.

Haar antwoord was haar gebruikelijke weerwoord wanneer ze weer eens een van haar buitensporige verhalen niet kon verklaren: 'Ik zal je een draai om je oren verkopen, brutaal joch.' Ze ging verder met nagels knippen en vertelde ons dat ze maar één long had omdat ze de andere de dag dat ze was geboren had opgehoest en er bijna in gebleven was, maar dat haar overleden grootmoeder op wonderbaarlijke wijze haar leven had gered, en dat zij zich iedere seconde van die dag kon herinneren.

Bijna tien maanden lang zei papa niet rechtstreeks iets tegen mij; ze had hem ervan overtuigd dat ik een dievegge en leugenaarster was. Als ik in dezelfde kamer was als hij, zei hij tegen een van mijn broertjes: 'Zeg tegen die daar dat ze uit mijn ogen moet gaan' of wat hij me ook wilde laten doen. Ik was kapot door zijn houding. Ik kreeg geen kans hem iets uit te leggen en uiteraard was er geen sprake meer van muzieklessen. Als hij thuis was bracht ik het grootste deel van mijn tijd in de keuken door.

'Meisjes, jullie zullen allemaal al heel binnenkort de wijde wereld ingaan.' Toen het hoofd van onze school onze klas de laatste jullie-zijn-nu-volwassen-preek gaf, voelde ik een enorme somberheid over me heen komen. De school was een toevluchtsoord geworden voor het niet-aflatende, geestdodende werk en de ellende thuis. Ik zou mijn vriendinnetjes verschrikkelijk missen, en vroeg me af wat papa voor mij in gedachten had op het gebied van werk zoeken. Ik was verbaasd dat mijn vriendinnen ieder baantje dat ze wilden mochten nemen. Ze hadden het erover dat ze telmachine-operatrice wilden worden, wat dat ook precies mocht zijn, of etaleuse of verpleegster; één grappenmaakster vertelde ons allemaal dat ze een miljonair ging zoeken zodat ze nooit hoefde te werken. Sommige klasgenootjes bleven nog een jaar. Dat zou ook mijn ideaal zijn geweest.

Mijn directrice was op een avond bij ons thuis geweest om papa te smeken dat hij me zou laten blijven. Zoals gewoonlijk zat Jessie wijdbeens voorovergebogen thee uit haar nieuwe halve-litermok te drinken en een sjekkie te roken.

'Meneer Doyle, Evelyn heeft de capaciteiten om het heel ver te schoppen. U moet het nog eens overwegen,' hoorde ik haar tegen hem zeggen. Ik gloeide van schaamte en vernedering toen ik haar in onze kale, karig gemeubileerde woonkamer binnenliet die, ook al was hij schoon, naar sigarettenrook stonk.

'Waar zou ze een opleiding voor nodig hebben? Het duurt niet lang meer of ze heeft een half dozijn kinderen aan haar rokken hangen.' Papa was er heel resoluut over; ik zou in december van school gaan. In januari zou ik pas vijftien worden.

Meneer Merrion was een vriendelijk uitziende man met een grijze, ruige snor, een bos vol dik grijs, krullerig haar en lachende, porseleinblauwe ogen.

'En, Evelyn, waarom wil je bij Woolworths komen werken?' Ik deed mijn mond open om hem te vertellen dat ik niet speciaal in een winkel wilde werken; ik wilde op de dovenschool werken. Ik had Perry een paar maanden geleden onderweg naar school ontmoet; het kon me niet schelen dat hij doofstom was – ik wist alleen dat hij aardig en heel knap was en dat hij mijn schooltas helemaal tot de schoolpoort voor me droeg. Het scheen hem niet te kunnen schelen dat ik er sjofel en een beetje vies uitzag. Toen hij voor de eerste keer verlegen mijn hand vasthield werd ik knalrood en vroeg me af wat hij in me zag. Papa en Jessie hadden me de afgelopen jaren verteld dat ik smerig, nutteloos en een verspilling van tijd was; ik voelde me verlegen en onhandig, en dacht heimelijk dat Perry ongetwijfeld ook nog blind was.

'Ze is een harde werkster en zal u geen problemen bezorgen, daar zorg ik wel voor,' zei papa tegen de chef terwijl hij nauwelijks liet blijken dat ik pal naast hem zat. Wat hem betrof had ik niets te vertellen over het soort werk dat ik zou gaan doen; hij had me nog niet eens gevraagd waar ik graag zou willen werken.

'Dat is dan zeven shilling en zes pence, meisje.' De kapster stond luidruchtig kauwgom te kauwen, en had gedurende het hele afschrikwekkende proces van een permanent in mijn haar zetten Woodbines staan paffen. Lange, dikke draden met metalen staven die aan het plafond bevestigd waren en in verbinding stonden met het elektriciteitsnet hadden mijn haar tot kroes verbrand en nog dagen daarna bleef je de ammonia ruiken. Papa had erop gestaan dat ik er 'respectabel' zou uitzien. 'Ik wil niet dat je rondloopt met haar dat net een vogelnest is.' Hij bedoelde natuurlijk het getoupeerde kapsel dat in 1961 in de mode was en dat ik liever had gehad. Mijn vernedering was compleet toen hij tegen Jessie zei dat ze me een van haar haarnetjes moest geven om de dikke, wilde bos die nu op mijn hoofd groeide te beteugelen.

Wat moet ik er die eerste ochtend hebben uitgezien, met mijn blote voeten in te krappe bruine schoolsandalen, een ouderwetse, satijnen middagjapon met enorme roze rozen die Jessie bij een marktkraam had gevonden, en de inmiddels te korte grijze jas die ik op mijn eerste schooldag had gedragen; maar volgens papa zag ik er nu tenminste 'respectabel' zo niet elegant uit.

Papa duwde me door de grote, glazen dubbele deuren heen. De charmante verkoopsters met getoupeerde kapsels in de meest uiteenlopende hoogten, waarvan sommige minstens dertig centimeter hoog leken, met zwarte eyeliner aangezette ogen en bleke, bijna witte lippenstift en rondwankelend op vijftien centimeter hoge naaldhakken, waren al bij hun toonbanken op de uitgestrekte, fel verlichte winkelverdieping. Ze haalden de stoflakens weg, vulden de voorraad aan uit grote, bruine dozen en stonden te lachen met elkaar en de magazijnjongens die de enorme afvalmanden op wieltjes met weggegooid papier en lege dozen vulden. Ik voelde hoe ze naar me keken. De angst kneep mijn keel dicht en ik tuurde strak naar de glimmende tegelvloer. Papa liep met grote stappen voor me uit, en bracht me dieper deze grot van Aladdin in. Ik moest doorlopen en er een beetje bijdehand uitzien. Maureen, de personeelschef, zei hem dat het in orde was en dat hij kon gaan en ja, als ik haar problemen gaf, zou ze hem dat beslist laten weten.

'Allemensen! Uit welke eeuw komt hij?' zei ze peinzend terwijl ze mij mijn uniform gaf, een sneeuwwit jasschort met een grote, rode 'W' op de borstzak en een grappig, wit, stijf gesteven tiaravormig kapje met ook een grote 'W' erop.

'Je bent eigenlijk een heel knap meisje,' zei ze terwijl ze het lelijke haarnet tot een wrong maakte en het kapje boven op het kroeshaar zette dat was ontsnapt en stevig op zijn plaats vastzette met haarspeldjes die ze tussen haar tanden hield. Mijn hart maakte een sprongetje van plezier: niemand had me dat gezegd sinds ik een klein meisje was.

Terwijl Cliff Richard 'Bachelor Boy' zong, ging Maureen me voor naar de koekjesafdeling en stelde me voor aan mevrouw Palmer, de afdelingschef. 'Leer haar de kneepjes van het vak, hertogin,' zei ze, en gaf me een knipoog terwijl ze gehaast door de winkel terugliep.

'De hertogin' was een lange, elegante dame met donker, grijzend haar dat ze opgestoken in een chique Grace Kelly-rol droeg. Ze glimlachte hartelijk toen ze me verwelkomde in haar 'kleine koekjeswereld'; ze schreed meer dan dat ze liep langs de rijen koekjesdozen met glazen deksel terwijl ze me aanwees wat vanille boterkoekjes, vijgenrolletjes en garibaldi's waren. Ze liet me de geheime voorraad kapotte koekjes zien die ze voor haar 'oude dametjes' bewaarde. 'We hebben onze vaste klantjes, kind. Je zult ze gauw leren kennen, de arme lieverds.'

Papa kwam die eerste dag een paar keer bij me langs en wilde dat ik het haarnet helemaal over mijn haar tot op mijn voorhoofd trok. 'Mensen willen geen haren van je in de koekjes,' zei hij scherp.

Maureen zei tegen hem dat het dan onmogelijk zou zijn het voorgeschreven kapje op de juiste manier op te zetten en dat ik, voor zover het haar betrof, overdag in dienst van de firma Woolworths was. 'Wat Evelyn na werktijd moet dragen heeft uiteraard niets met ons te maken, maar in de tijd dat ze hier is draagt ze wat wij voorschrijven en hoe wij willen dat ze het draagt.' Ze stampte weg met een gezicht dat bijna paars zag van woede. Dit was haar territorium en ze liet zich door geen enkele man vertellen hoe zij haar afdeling moest runnen, of haar meisjes wat ze moesten doen. Ik was haar dankbaar en hield van haar omdat ze papa het hoofd bood.

Mevrouw Palmer had om halftwaalf middagpauze, of lunchpauze, zoals ze het destijds noemden. 'Om deze tijd is het niet zo druk voor jou, kindlief. Ik ben om twaalf uur weer terug.' Ze sprak met een beschaafd accent, niet de harde, door de neus uitgesproken klanken van de meeste mensen die ik in Manchester had ontmoet. Ze zei me dat ik niet in paniek moest raken, en opeens stond ik in mijn eentje achter de negen meter lange toonbank.

Op dat moment raakte ik niet in paniek, maar toen het mijn beurt voor de lunch was, bleef ik onzeker bij de deur van de personeelskantine staan en vroeg me af wat ik moest doen. Ik keek naar de andere personeelsleden die naar het buffet in de kantine liepen. Ze gaven geld aan een dikke mevrouw die achter een kassa bij de grote theeketel stond. Papa had me een halve crown voor het eten en de busrit naar huis gegeven. Zou het wel genoeg zijn?

'Hallo, zeg, ik ben Dorothy, noem me maar Dot, hoor.' Een klein vrouwtje, net een pop, met een enorm teruggekamd kapsel, kwam op me af getrippeld. Het strakke kokerrokje dat door haar openhangende jasschort zichtbaar was, maakte dat ze maar kleine pasjes kon maken. Ze stak haar hand naar me uit. Ik had haar op de snoepafdeling zien werken en vond dat ze brutaal en kwaadaardig tegen haar mannelijke klanten deed, maar zij dachten dat ze grappig was en liepen lachend de winkel uit. Ze nodigde me uit om bij hen aan tafel te komen zitten. 'We zitten daar.'

Door het lawaai van kletterend serviesgoed en bestek, het luide geroezemoes van gesprekken, af en toe onderbroken door schor gelach, en een dikke walm van sigarettenrook, liep ik achter haar aan naar een tafel met een rood formicablad helemaal achter in de hoek van de kantine. Een van de twee meisjes die al zaten pakte een stoel van een tafel ernaast. De geur van heerlijk voedsel drong mijn neusgaten binnen, maar ik zei dat ik geen honger had; ik wilde het risico niet lopen dat ik niet genoeg geld had, dus ging ik zitten voor een kop thee en een grote biscuit erbij. De drie meisjes aan de tafel hadden met gemak zussen van Dot kunnen zijn; ze hadden allemaal hetzelfde hoog opgestoken, teruggekamde kapsel, dikke Max Factor pancake make-up op en bleke, poederachtige lippen met een donkerbruin lijntje eromheen. Ze zaten verwoed aan hun Woodbines te trekken en nipten van hun thee in dikke witte mokken; hun lege etensborden, die ze naar het midden van de tafel hadden geduwd, gebruikten ze als asbak. Ze knikten gedag en ik zat naar hun geroddel te luisterden.

'Hij probeerde zijn hand in mijn bloesje te steken,' zei Babs, het blondje en de oudste van het drietal terwijl ze de sigarettenrook diep inhaleerde. De twee anderen gierden het uit toen ze, rook door haar neusgaten uitblazend, verderging: '"Handen thuis", zei ik tegen hem. "Afblijven van wat je je niet kunt veroorloven, ik bewaar mezelf".' Waarvoor kon ik me niet voorstellen. Ze snoof, tuitte haar lippen en sloeg haar armen onder haar borsten over elkaar, ze zo nog verder naar haar kin omhoogduwend. Van de anderen wilde ze weten: 'Wat denkt hij wel? Dat ik ordinair ben of zoiets?' De anderen waren het ermee eens dat alle kerels hetzelfde waren. Ik had geen flauwe notie waarover ze het hadden, maar ik lachte wanneer zij dat deden en knikte veelbetekenend in de hoop dat ze zouden denken dat ik even volwassen was als zij.

Toen het vrijdag werd voelde ik me al wat zelfverzekerder, hoewel ik moe was en pijnlijke, gezwollen voeten had. Dot en haar vriendinnen begonnen de gek te steken met mijn haar en kleren, maar het kon me niet schelen; ze waren aardig en ik lachte met hen mee. Papa was maar een paar keer de winkel binnengekomen om te zien of alles wel goed met mij ging, maar ik wist zeker dat hij navraag naar me deed. Meneer Toomy, de afdelingschef, kwam bij iedereen langs met een dienblad van metaaldraad met daarop in keurige rijen naast elkaar alle bruine loonzakjes. Die deelde hij uit alsof hij iedereen een enorme schat schonk, zoals een priester de communie bediende. De jongere winkelmeisjes trokken achter zijn rug gezichten naar hem, maar toen hij mij mijn eerste loonzakje overhandigde, kreeg ik een kleur en maakte bijna een kniebuiging voor hem van dankbaarheid.

Toen ik thuiskwam zat papa bij het vuur. Ik gaf hem mijn loon aan. Ik had het niet gewaagd het envelopje open te maken om te kijken of het geld klopte; ik wist zelfs niet hoeveel loon ik kreeg. Het kwam niet bij me op dat dit mijn geld was, waarvoor ik elke dag negen uur hard had gewerkt.

'Binnenkort zullen er zes van die kleine zakjes zijn om je vader een comfortabel leven te bezorgen,' glimlachte hij naar me terwijl hij mijn sociale verzekeringsnummer onder op de asbak schreef die een van de jongens op school gemaakt had. Mijn broertjes zaten afwachtend toe te kijken hoeveel geld ik zou krijgen; ik had hen een deel ervan beloofd.

'Kijk eens, Ebbs, je hebt het verdiend.' Hij gaf me een briefje van tien shilling en stopte de rest in de binnenzak van zijn colbert. Ik dacht dat het een grap was. Mijn loon was drie pond en tien shilling en hij had al duidelijk gemaakt dat ik zelf, van wat hij mijn 'zakgeld' noemde, mijn busgeld en de maaltijden zou moeten bekostigen. Maar ik ging niet tegen hem in. Ik moest simpelweg zien er de hele week van rond te komen. Als ik mijn broertjes elk zes pence gaf, zou ik zeven shilling en zes pence overhouden, en zolang ik goed uitkeek en een paar keer lopend naar mijn werk ging zou ik misschien twee of drie shilling hebben om aan mezelf te besteden.

Op een ochtend in eind februari kwam de hertogin niet opdagen, en moest ik van Maureen de verantwoordelijkheid
voor onze toonbank op me nemen. 'Het lukt je wel, kind. Als
je niet zeker weet wat je moet doen geef je me maar een gil.'
Ik was vastbesloten dat het me zou lukken. Ik zou voor
haar door het vuur zijn gegaan – ze was heel lief en aardig
voor me. Zij was zoals ik me een echte moeder voorstelde.
Papa had het opgegeven om naar de winkel te komen: Maureen bewaakte me als een tijger en stond met haar handen op
haar heupen achter mijn toonbank tot hij wegging. Niet dat
ze ooit iets tegen hem zei, maar de boodschap kwam over.
Thuis noemde hij haar 'dat verrekte, bemoeizuchtige wijf'.
Maar in feite had hij er moeite mee dat een vrouw het van
hem won en dat hij niet bij machte was terug te slaan.

Sinds zijn moeder was gestorven toen hij nog maar dertien
jaar oud was, had papa geen vrouw gehad die hem vertelde
wat hij wel of niet mocht doen. Zijn opvatting was niet anders dan van de meeste mannen van zijn generatie, Ieren in
het bijzonder, die vrouwen als de dienares van hun echtgenoot zagen, naar hun pijpen moesten dansen, de kinderen
grootbrengen, het huis schoonhouden, en zodra ze, hetzij van
hun werk, hetzij uit de pub, thuiskwamen het eten op tafel
moesten hebben staan – hoewel het in ons geval mijn broertjes en ik waren die het huis schoonhielden en zijn eten kook-
ten; en een vrouw moest klaarstaan om aan de seksuele behoeften van haar man te voldoen wanneer hij maar wilde. In
het algemeen was dit in Ierland nog steeds het geval, met het
gevolg dat je het verschijnsel 'Ierse baby's' had, waar vrouwen veelal binnen het jaar twee baby's kregen, zoals ook bij
mijn echte moeder was gebeurd. In Engeland waren de dingen echter heel snel aan het veranderen. Vrouwen begonnen
zich weerbaarder op te stellen en eisten gelijke rechten als
mannen, verdienden hun eigen geld en gingen uit. Papa wilde daar echter niets van weten. 'Nou, nou, die jonge vrou-

wen lijken net prostituees,' zei hij vol afkeer wanneer hij in de winkel was geweest en de onbeschaamde manier waarop sommige meisjes naar hem keken had gezien. Heel gênant vond ik het dat sommigen zelfs 'op hem vielen'. Toen hij me op een dag een 'bezoek' had gebracht, zagen een paar meisjes van het souterrain hem toevallig. 'Wie was die adembenemende man, Evy?' Me afvragend over wie ze het hadden, keek ik om me heen; ik had helemaal geen man gezien, laat staan eentje die adembenemend was. 'Je bedoelt mijn vader?' Ik was een en al ongeloof toen het me duidelijk werd wie ze bedoelden. Hoe kon iemand mijn vader nu leuk vinden?

De drie volgende ochtenden kwam de hertogin ook niet op haar werk. Maureen maakte zich zorgen. 'Dit is helemaal niets voor haar. In de drie jaar dat ze hier werkt heb ik nog niet één keer meegemaakt dat ze niet kwam opdagen.' Ze dacht meer hardop dan dat ze mij informatie gaf. Het hoofd van de afdeling zou nooit over een ander personeelslid spreken met iemand die beneden haar stond, laat staan iemand die zo laag in rang was als ik. Dot, die op de snoepafdeling werkte en Babs, die de supervisie had over de klokken en horloges aan de andere kant van de winkel, en een aanzienlijk deel van haar tijd achter de toonbank tegen de muur geleund doorbracht met in de ruimte staren of geconcentreerd haar handen bestuderen, hielpen me wanneer het erg druk was. Voor het grootste deel stond ik echter alleen op mijn afdeling.

Toen ik voor mijn theepauze naar boven ging, was Maureen in de kantine, omringd door de andere afdelingshoofden. Ze stond in haar kleine, witte, met kant omzoomde zakdoekje te snuffen. Ze riep mij naar zich toe. Mijn maag keerde zich om. Was ik ontslagen? De meisjes kwamen nooit bij de afdelingshoofden aan tafel en ik wist dat er iets verkeerd was.

'Ga zitten, kind.' Haar ogen waren rood en waterig. De anderen schikten rond de tafel een stukje in om ruimte voor mij te maken. 'O, kind, het is de hertogin. Ze is dood.' Heel even dacht ik dat ik haar niet goed had verstaan en het drong niet tot me door wat ze had gezegd. 'Ze zat daar maar voor het oog van de wereld te slapen. O, God! Ik zal het nooit vergeten,' snikte ze in haar zakdoek. Tijdens haar lunchpauze was Maureen naar haar toe gegaan om te kijken waar ze was en had haar door een raam op een stoel zien zitten. Ze had een paar minuten op de deur staan bonken voor ze besefte dat er iets mis was. Toen de politie arriveerde en de deur forceerde, ontdekten ze dat ze dood was. We hoorden later dat ze aan onderkoeling was overleden en al drie of vier dagen dood was. Hoe kon iemand in een zogenaamd 'beschaafd' land nu in haar eigen huis van de kou overlijden en dood blijven liggen zonder dat iemand het wist? Al het personeel droeg een shilling bij voor een krans; ik maakte een snel rekensommetje en bedacht dat je voor die shilling een paar zakken kolen had kunnen kopen die het leven van zo'n aardige, vriendelijke vrouw hadden kunnen redden. Ik was boos op God, maar toch bad ik tot Hem dat Hij voor mevrouw Palmer zorgde als ze naar de hemel ging, want ik wist zeker dat ze daar heen ging.

'Hier, neem een stukje kauwgom.' Dot gaf me een klein, wit Beechnut kauwgommetje. We zaten op een vrijdagavond boven in de bus onderweg naar huis. Ze had me ook een van haar Woodbines aangeboden. Ik had gehoest en geproest en voelde me misselijk, maar wilde niet 'onnozel' lijken in het bijzijn van mijn nieuwe vriendinnen, en hield vol tot ik de helft van de sigaret had opgerookt. Dot en Babs moesten lachen. 'Dan ruikt je vader de rooklucht in je adem niet,' zei Dot tegen me. Opgelucht kauwde ik met het kauwgommetje dat naar pepermunt smaakte de vieze smaak in mijn mond weg.

Met ongeveer zes meisjes van 'Woolies' namen we na het werk de bus op het St. Anne's Square, renden de trap op en namen de achterste plaatsen in beslag voordat de bekakte meisjes van Marks & Spencer bij de volgende halte instapten. 'Verwaande meiden,' zei Babs altijd, zo hard, dat ze het konden horen, maar ze negeerden ons. Ik genoot van deze halfuurtjes in de bus; ze maakten het totaal uit van mijn sociale leven. Ik was begonnen om een paar keer per week naar het werk te lopen zodat ik me de negen pence voor mijn vijf Woodbines kon veroorloven en me één keer per maand te buiten kon gaan aan de drie shilling en zes pence voor een flesje met een luchtje Evening in Paris; dat parfum noemen zou een belediging zijn geweest voor Coty's l'Amante of Tweed; Chanel was nog zo'n wereld die volkomen buiten mijn leefwereldje lag. De meisjes probeerden me zover te krijgen dat ze mijn haar hoog op mochten touperen, maar ik was veel te bang dat papa in de winkel zou komen; trouwens, het zou onmogelijk zijn geweest om het uit te kammen, want voor zo'n kapsel had je bij het terugkammen een enorme hoeveelheid Bel Air haarspray uit een plastic fles nodig waarin je hard moest knijpen om het gelijkmatig te verstuiven. Je haar werd er hard als beton van. Wat benijdde ik mijn vriendinnen en hun zorgeloze leventje. Naast hen voelde ik me lomp en lelijk; ik kon niet wachten tot ik het huis uit was, zodat ik een strakke spijkerbroek en een hoog kapsel en lila Max Factor lippenstift kon aanschaffen. Maureen had me verteld dat ik uit huis kon gaan als ik zestien was en dat papa me niet kon dwingen om terug te gaan – dat was de wet in Engeland. Over zeven maanden zou ik zestien zijn en dan zou ik op zoek gaan naar mijn echte moeder en naar opa en mijn eigen leven gaan leiden. Ik droomde van die dag die zo ver weg leek.

'Je mag, nu mijn dochter getrouwd is, bij mij komen wonen, als je wilt,' bood Maureen aan. Ik stelde me haar gezel-

lige huis voor met een warm haardvuur en een grote, zachte
bank, waar ik niet om het minste of geringste een grote mond
of een oplawaai kreeg. Waarschijnlijk zou ik tot na achten op
mogen blijven en televisie kijken of naar de plaatselijke
jeugdclub gaan, waar ik de jive zou dansen op Elvis en Bill
Haley and his Comets, en ook fish and chips uit een krant
eten als ik met mijn vriendinnen naar huis liep. Ik geloofde
echt dat deze droom werkelijkheid zou worden en hij hield
me door de moeilijkste tijden op de been.

5

Nu Jessie en ik samen zo'n acht pond per week mee naar huis namen, zag papa niet in waarom hij nog zou werken. Hij had zijn werkloosheidsuitkering en hij verdiende zijn 'bier'geld door piano te spelen in de verschillende pubs in Manchester. Soms hield hij een van de jongens thuis van school zodat die zijn maaltijden kon bereiden, het vuur opstoken en het huis schoonmaken. Hij werd weer afstandelijk en nors en hij ging zich ten opzichte van ons precies zo gedragen als de beruchte Ierse Christian Brothers die hij zo verfoeide; wij waren nullen, alleen maar goed om naar zijn pijpen te dansen en zijn leven zo plezierig mogelijk te maken. Mijn kleine broertjes begonnen er als schoffies uit te zien. Nieuwe kleren waren als een lot uit de loterij, en je zag angst op hun bleke, betrokken snuitjes als ze bij papa in de buurt kwamen, want vaak kregen zij de volle laag als hij 's ochtends wakker werd nadat hij een 'slechte dronk' had gehad.

Het was voortdurend koud en vochtig in huis, want het vuur in de woonkamer ging alleen maar aan als hij thuis was, en 's winters schraapten we vaak het ijs van de binnenkant van ons slaapkamerraam af. Het eten thuis was een aanfluiting; de warme maaltijd bestond altijd uit drie boterhammen met margarine en een schraapseltje van gemengde vruchtenjam die Jessie uit de jamfabriek mee naar huis bracht, en in het weekend was het een worst die in de lengte was doorgesneden zodat het twee worsten leken, met gekookte aardappelen en enorme, harde kapucijners. Papa had dit menu bedacht toen hij op een avond tot de ontdekking was gekomen dat Jessie had geprobeerd wat variatie in ons dieet aan te brengen door een stoofpot te maken met lamsnek en de wortelschillen van papa's gekookte worteltjes. Papa wilde zoiets schriels als stoofpot of schaap niet eten. Dat was volgens hem 'boerenkost' en ongeschikt voor arbeiders. Hij ontstak in woede en tierde tegen Jessie: 'In de toekomst eten ze worst, aardappelen en kapucijners, heb je me begrepen?' Hij benadrukte ieder woord en sloeg met zijn rechterwijsvinger op de eerste drie vingers van zijn linkerhand alsof hij een boodschappenlijstje afvinkte. Jessie vatte het letterlijk op en worst, aardappelen en kapucijners werden het menu voor de maaltijden in het weekend. Gelukkig hadden de jongens schoolmaaltijden en kon ik een paar keer week een maaltijd op mijn werk kopen; maar dik werden we niet.

Papa, of wie dan ook, kon onze geest echter niet breken. Vaker wel dan niet zaten we met z'n allen boven of in de keuken de gek te steken met een uitbarsting van papa die ongewoon hevig was geweest. Een paar broertjes konden een opmerkelijke imitatie van 'Dessie' doen: ' "Vooruit! Uit mijn ogen, verdomde snotneuzen dat jullie zijn!"' Maurice brulde met zijn armen strak langs zijn zijden en gebalde vuisten, en maakte een sprongetje zoals papa altijd deed. Hij kon een verbazingwekkend Dublins accent nadoen, zodat wij zaten te schudden van het lachen. 's Zondagsochtends zaten we na het ontbijt aan de keukentafel cowboyliedjes te zingen; de jongens oefenden meerstemmig met elkaar tot papa met zijn schoen op de slaapkamervloer bonsde en schreeuwde dat we onze mond moesten houden. 'Jullie klinken net als een stelletje jammerende geesten.' Maar diep in ons hart hielden we nog steeds van papa. Ik ontdekte jaren later dat hoe meer ouders hun kinderen mishandelen, hoe meer de kinderen zich aan hen vastklampen. Hoe ongelofelijk dat ook lijkt, ik begreep dat. Ik wilde wanhopig graag dat papa weer de oude papa werd zoals hij was geweest vóór mijn moeder bij ons was weggelopen. Dan zat ik bij papa op schoot en vertelde hem wat er allemaal op school was gebeurd. Elke ochtend borstelde hij mijn haar en maakte er keurige vlechten in. Als hij van zijn werk thuiskwam luisterde hij trots als ik hem liet horen wat ik met lezen had geleerd. Hij zorgde ervoor dat ik op mijn Eerste Communie de prachtigste jurk aanhad en smeet een heel weekloon weg aan een groene jas met een kraag van echt fluweel en een bijpassende, fluwelen 'jockey'-pet, aangeschaft bij niemand minder dan Clery's in O'Connell Street. Die outfit heb ik alleen op die dag gedragen; de maandag erna hing het al voorgoed weg te teren in Brereton's pandjeshuis in Capel Street. Mama mocht niet mee toen hij, zoals de gewoonte was in Ierland, met mij de ronde deed bij al onze familie en zijn vrienden (maar niet bij oma in Dùn Laoghaire of de zussen van mijn echte moeder).

Mijn jongere broertjes konden zich niet indenken dat papa anders was dan vroeger; zij herinnerden zich niet hoeveel hij in die tijd van ons hield. Ze herinnerden zich niet dat hij samen met opa houten forten en skelters voor ons maakte om mee te spelen of dat hij ons knus bij het haardvuur verhalen vertelde, of het plezier dat we altijd hadden bij de Strawberry Beds, als hij ons mee uit vissen nam, of dat we konijnen gingen vangen in het Phoenix Park met zijn fretje dat zo ontzettend stonk en dat hij meenam in een oude aardappelzak. Wat waren we trots toen hij een oude naaimachine kocht en voor ons allemaal groene, corduroy blousonjacks maakte. Wat was hij bezorgd en angstig geweest toen hij een van de jongens een keer diep in het onheilspellende water starend op zijn hurken bij het kanaal had aangetroffen; het stormde zo hard dat hij niet kon fietsen. Papa sloeg ons nooit en had altijd een lach en een liefkozing voor ons als hij van zijn werk thuiskwam. Nu huiverden mijn jongere broertjes bij de gedachte aan liefkozingen; zij konden zich niet herinneren dat ze ooit liefdevolle armen om zich heen hadden gevoeld; de nonnen hadden alleen voor hun lichamelijke levensbehoeften gezorgd. Puur vanwege het grote aantal jongens konden ze geen liefde tonen. Maar de oudste jongens treurden om het verdriet van een vader die hun held en 'kameraad' was geweest.

Op een avond toen hij een tijdelijk baantje als vrachtwagenchauffeur bij Mother's Pride-bakkerijen had, was papa vier uur later dan anders nog niet thuis en er woedden hevige sneeuwstormen in de regio. In tranen waren we thuis allemaal koortsachtig bezig naar een paar losse munten te zoeken, zodat we vanuit een telefooncel het bedrijf zouden kunnen bellen. En toen hij uiteindelijk thuiskwam voelden we een enorme opluchting en geborgenheid. Hij heeft nooit geweten dat al mijn broertjes in hun slaapkamer nog op waren en niet naar bed wilden zolang hij niet veilig thuis was.

'Je móet je vakantie opnemen,' vertelde Maureen me toen ik zei dat ik geen vakantie hoefde te hebben. Ik was liever uit huis, want ik wist dat ik toch maar papa's knechtje zou zijn als ik thuisbleef. Dat zou nog niet eens het ergste zijn geweest, maar ik was bang voor zijn slechte humeur. Wanneer hij tegen me schreeuwde, begon ik de laatste tijd onbeheersbaar te beven en als hij me een klap op mijn hoofd gaf of me in de rug duwde, zat ik nog uren daarna te trillen en wenste vurig dat ik dood was. Jessie werd het nooit moe hem te vertellen dat ik smerig was, dat ik lui en stiekem was en dat er nooit iets van me terecht zou komen. 'Let op mijn woorden, Dessie, dat kind daar is narigheid.' Maar ik negeerde haar, en nu ik werkte waren er dagen dat ik haar zelfs niet eens zag.

Nadat Maureen me had verteld dat ik vakantie moest nemen, voelde ik me die vrijdag dat ik van mijn werk naar huis ging ellendig, maar toen ik papa vertelde dat ik twee weken vrij had, zei hij me dat ik een baantje voor die periode moest zoeken. Dolblij was ik!

'Ik ben in de overgang,' zei Jessie tegen me. In de overgang waarheen kon ik me niet voorstellen, maar ze had donkere kringen onder haar ogen gekregen en haar huid zag grauw. Even had ik medelijden met haar; ze zag er zo moe en ziek uit. 'Loop even langs de kruidenwinkel onderweg naar huis van je werk en neem voor twee pence poleimunt mee.' Ze vroeg me niet vaak iets voor haar te doen, want ik vond altijd wel een excuus om niet te doen wat ze van me vroeg. Maar deze keer gaf ik toe, ook al zou het betekenen dat ik mijn lunchpauze zou missen. Ik had voor de twee weken van mijn verplichte vakantie een baantje gekregen als serveerster in het UPC-restaurant tijdens de veertiendaagse 'Wakes' van Manchester. Tot mijn opperste verbazing aten mensen nota bene koeien-poten en pens, iets waar het restaurant in gespecialiseerd was; het zou me niet verbaasd hebben als er ook schapenkoppen geserveerd werden. Maar er waren ook stoofschotels en eigen-gemaakte vlees- en aardappeltaarten, pudding met donkere stroop en appelflappen. Ik was blij wanneer de chef de over-gebleven dingen onder het personeel verdeelde om mee naar huis te nemen. Mijn broertjes zaten al gespannen op mijn thuiskomst te wachten om te zien wat voor lekkers ik in de grote winkeltas had die ik mee naar het werk nam.

6

'Begin maar met inpakken, Jess.' Papa was in een uitstekend humeur, blij en optimistisch. Hij had een huis buiten op het platteland gevonden.

Verdrietig nam ik afscheid van mijn vriendinnen bij Woolworths. Ik moest van papa mijn ontslag nemen. 'Het is te ver en te duur om van de plek waar we gaan wonen helemaal naar Manchester te reizen. Je moet je baan opzeggen.' Hij had natuurlijk gelijk.

Maureen sloeg stevig haar armen om me heen en zei me dat ze er altijd voor me zou zijn als ik haar ooit nodig mocht hebben. Ik was verlegen met dit vertoon van genegenheid, maar het gaf me een warm gevoel van blijdschap dat iemand me waardeerde en me zou missen. Ik zei dat ik zou schrijven en bedankte haar verlegen voor haar vriendelijkheid.

'Tot ziens, meid,' schreeuwden de meisjes me na toen ik voor de laatste keer uit de bus sprong. Ik stond op de stoep mijn vriendinnen na te wuiven die op de achterbank van de bus geknield zaten, tot hij tussen het verkeer van Stretford Road uit het gezicht verdween.

Greenfield behoorde tot een groep dorpen die vlak tegen de westkant van het koude, winderige en aan weer en wind blootgestelde Penninisch Gebergte lagen, en als er al schoonheid in mijn nieuwe omgeving was, zag ik die toch niet. De dag nadat we in het dorp arriveerden reed papa met me naar de weeffabriek.

Toen we bij het weefvak wegliepen merkte papa zonder
een spoor van ironie op: 'Allemachtig! Hier zou ik voor geen
goud willen werken!' Het ritmische geklikklak van tweehonderd door drijfriemen aangedreven weefgetouwen was angstaanjagend en overweldigend, en nadat we er waren weggegaan konden we een paar minuten lang niets horen; in de
loods hing een dikke mist van stof en pluizen die ontstonden
door de voortdurende beweging van wol. De wevers liepen
rond voor hun weefgetouwen met de ogen strak op de fel gekleurde stoffen gericht die stukje voor stukje aan de voorkant
van het weefgetouw te voorschijn kwamen en een prachtige
lapjesdeken vormden die zo misplaatst leek in zo'n helse
plaats. Af en toe hoorde je een rauwe kreet boven het lawaai
uit als een van de arbeiders de aandacht van een ander wilde trekken. Dan begonnen ze in hun eigen, sterk ontwikkelde
gebarentaal gecombineerd met overdreven mondbewegingen
met elkaar te praten. Hier zag ik geen hoge kapsels of zwart
omlijnde ogen. De meeste vrouwen hadden hun haar in rollers met een hoofddoek eromheen; grote schorten met zakken aan de voorkant bedekten oude rokken en vesten. Sommigen hadden hun kousen tot op de enkels afgerold; de rest
had blote benen. De mannen droegen marineblauwe overalls
en de meesten klepperden op hun klompen heen en weer over
de loopplanken tussen de weefgetouwen.

Maar weer had papa besloten waar ik zou werken. 'Het
betaalt goed.' Hij was er heel zakelijk over; het had geen zin
voor mij om tegen hem in te gaan.

Op mijn eerste ochtend stelde het hoofd van de personeels-
afdeling me voor aan de voorman, een lange, buitengewoon
magere man wiens humorloze gezicht verschillende tinten
paars en rood had. 'Dit is meneer Higginbottom, Evelyn,' zei
juffrouw Whitehead tegen me.

Hij beende met grote passen voor me uit naar de achterkant van de weefloods en liep na een kort gesprek met de we-

ver met een kort knikje bij me weg. Ik begon met meneer Higginbottom al duidelijk met een valse start: ik dacht dat juffrouw Whitehead een grapje maakte – ik had nog nooit zo'n naam gehoord en barstte in lachen uit. Geen van beiden vond het grappig. Ik kreeg een kleur en bood, hard op mijn onderlip bijtend in een wanhopige poging mijn lachen te bedwingen, mijn verontschuldigingen aan. Meneer Higginbottom wuifde mijn verontschuldiging lomp weg en zei dat ik met hem mee moest komen.

Mijn medearbeiders waren bot en kort aangebonden, en aangezien ze stukloon kregen waren ze vanaf het moment dat ze ingeklokt hadden tot het eind van de dag aan het werk. Ik voelde me opgelaten en heel erg jong. Met etenstijd daalde er een griezelige stilte in de loods neer wanneer de hoofdriem werd uitgeschakeld, en de wevers aan het eind van hun weefgetouwen zwijgend hun pakje brood zaten op te eten. Ieder weefgetouw ging weer aan op het moment dat de hoofdriem een halfuur later weer in werking werd gezet; hier drentelden de mensen niet met duidelijke tegenzin terug naar hun werkplek, zoals bij Woolworths. Deze mensen verdienden hun eigen geld en persten iedere 'slag' van de spoel die menselijk mogelijk was tijdens hun achturige werkdag uit het weefgetouw.

Maar een oudgediende die Ambrose heette leerde me met oneindig geduld het weven en bliksemsnel knopen te maken wanneer de schering door een kapotte spoel afscheurde. Algauw mocht ik zelf vier weefgetouwen laten lopen. Noel kwam bij mij werken toen hij later dat jaar van school af ging, en wij vormden samen een geweldig team; we hielpen elkaar om de weefgetouwen bij storingen en tijdens wc-pauzes aan de gang te houden. Papa was opgetogen over wat we verdienden. Er waren weken dat we elk dertien pond konden verdienen. Dan gaf hij ons een 'bonus' van één pond extra.

Papa kreeg een contract om een groep pubs van de plaatselijke brouwerij te verven. Hij nam Maurice als leerling-schilder aan. Het leven had toen heel goed kunnen zijn, maar met al dat extra geld dat binnenkwam ging papa als een landheer leven. Hij kwam met een schattige cockerspaniëlpup thuis en kocht een geweer. Voortaan reed hij in zijn colbertje van Harris Tweed in zijn nieuwe, lichtblauwe Hillman Minx stationcar rond en werd een bekende figuur in het dorp.

Het was de hond die het hem deed en met name het gele zwavelpoeder dat de drogist aanbeval omdat hij de zalf die de dierenarts voor de voortdurend ontstoken oren van de hond voorschreef niet had. Papa werd razend op mij toen ik hem het kleine blikje poeder gaf. Hij schreeuwde tegen me dat ik een stomme trut was en wat voor kwaad het kleine dier me deed dat ik zo wraakgierig was – hij wist niet meer van ophouden. Hij wilde me niet laten uitleggen dat de 'zwavel' niet, zoals hij dacht, alleen maar was om kruit en lucifers mee te maken, maar gewoonlijk ook gebruikt werd om huidziekten mee te behandelen. Toen hij zo tegen me stond te razen en te tieren besloot ik dat het moment was gekomen om weg te lopen en mijn echte moeder te gaan zoeken.

De spaniël werd de prins van het huis. Vaak moesten Noel en ik na een dag hard werken in de fabriek op harde keukenstoelen zitten als de hond op de kleine bank wilde slapen. Ik was verschrikkelijk jaloers op Moghill Max Wellington III, of Sailor, om zijn gewone naam te gebruiken. Papa gaf al zijn liefde aan dat verrekte mormel, dat het beste gehakte vlees, kip en lever kreeg en tegen wie hij nooit schreeuwde; wat die hond deed was altijd onze schuld, of hij nu onze schoenen kapotbeet, onder papa's bed poepte of kreupel ging lopen, iets waardoor hij al snel gedragen werd, zo ontdekte hij, op de lange wandelingen die mijn broertjes van papa al om zes uur 's ochtends met hem moesten maken. De hond werd het middelpunt van alle aandacht in huis.

Margaret zei: 'Hij zal je nooit vinden. Ik beloof je dat ik het aan niemand zal vertellen, eerlijk niet.' Zij was het enige andere jonge meisje in de fabriek en we waren hechte vriendinnen geworden. Ze kamde elke ochtend mijn haar in het zo gewenste hoge kapsel en ik mocht haar make-up gebruiken voor we naar onze weefgetouwen gingen. Ik had mijn plan om weg te lopen aan Margaret toevertrouwd en zij stond erop me te helpen. Voor haar was het een uiterst opwindend, romantisch avontuur met mij als de tragische heldin; ik geloof niet dat ze in staat was de angst die ik voelde te bevatten. Ze woonde met haar moeder die weduwe was in een klein dorp een kilometer of vier, vijf in de richting van Manchester. Haar moeder had ermee ingestemd me voor een paar dagen onderdak te verlenen, maar wist niet dat ik van huis wegliep.

Het dringende kloppen aan de deur ergerde me en ik probeerde het te negeren. Ik had net Margarets rollers in mijn haar gedraaid en was halverwege bezig Max Factor pancake make-up op mijn gezicht te smeren. Elvis was luid aan het croonen. Ik stak een Woodbine op en deed de deur open. Voor ik wist wat er gebeurde trok papa me met zijn grote hand uit het huis. Ik schreeuwde en schopte met mijn blote voeten, maar hij was te sterk voor mij. Mensen staarden, maar niemand kwam tussenbeide, hoewel ik hard om hulp riep. Ik wist dat ik, eenmaal weer thuis, een pak rammel zou krijgen zoals ik nog nooit gehad had. Hij had zijn auto aan het eind van de straat geparkeerd en tegen de tijd dat hij me op de achterbank gooide bloedden mijn voeten van de ruwe stenen.

Papa had meneer Higginbottom zover gekregen dat hij Margaret met ontslag dreigde als ze hun niet vertelde waar ik was. Telefoons waren er voor de gewone arbeidersklasse niet bij en ze had geen enkele manier om me te waarschuwen dat ik onverwacht bezoek zou krijgen.

'Waar dacht je dat je heen ging?' vroeg hij toen we thuis waren. Tot mijn verbazing schreeuwde hij niet; hij leek gekwetst en van zijn stuk gebracht dat ik van huis en zijn 'bescherming' weg wilde. Ik zei tegen hem dat ik mijn echte moeder ging zoeken. Tranen rolden over zijn gezicht toen hij me zei: 'Je moeder is dood, dus je kunt haar vergeten.' Ik wist instinctief dat hij loog en zei hem dat ook.

Die dag gebeurde er iets vreemds met mij. Ik was niet bang voor papa en stormde brutaal de kamer uit terwijl ik met een klap de deur achter me dichtsloeg. Dermot zat met grote ogen in een bang gezichtje onder aan de trap, zijn handen stijf tussen zijn knieën geklemd. Ik raakte zijn schouder aan. Hij beefde. Mijn broertjes angst bracht mijn woedeaanval tot het kookpunt. Had ik niet sinds ze waren geboren voor al mijn broertjes moeten zorgen en hier liet ik ze in ellende leven omdat ik niet moedig genoeg was om het voor hen op te nemen. Nu, vandaag had ik niets te verliezen. Ik liep terug naar de woonkamer. 'U bent een dwingeland en een lafaard. Ik haat u en aan haar heb ik de pest.' Ik was niet meer te stuiten. Ik schreeuwde tegen mijn vader. 'Hij,' ik wees door de open deur naar Dermot, 'en eigenlijk wij allemaal zouden beter af zijn geweest als u ons in het klooster had gelaten. Waarom bent u niet gewoon weggegaan? Waarom kwam u eigenlijk terug?' Ik was te ver gegaan. Ik wist het op het moment dat ik de woorden eruit gooide. Het kwam dus niet als een verrassing voor me dat hij uit zijn stoel overeind sprong en me een aantal klappen in mijn gezicht gaf.

Later die avond, toen ik bibberend van de kou en doodsbang door de hevigheid van de driftbui waarin ik me had laten gaan zonder ook maar aan de mogelijke gevolgen te denken in bed lag, besloot ik mijn ontsnapping zorgvuldiger te plannen.

Het was moeilijker dan ik me had voorgesteld en mijn kans kwam pas een jaar later. Papa haalde Jessie over om ook een baan in de fabriek aan te nemen, zodat ze een oogje op mij kon houden. Ze was een ijverige gevangenbewaarder die me op het werk als een havik bewaakte. Maar ik zorgde ervoor dat ze niets aan hem te rapporteren had. Soms probeerde ze me te provoceren, maar ik veranderde haar hatelijkheden in grapjes. Heel naïef had ik gedacht dat we op het werk tenminste beschaafd tegen elkaar konden zijn, maar zij wilde me met alle geweld tegenover onze medewerknemers in verlegenheid brengen.

Ambrose, mijn werkmeester, zei door een wolk geurige tabaksrook van zijn pijp: 'Laat het meisje met rust, mevrouw Doyle. Misschien als ze een eigen kind was...' Zijn stem stierf weg toen Jessie overeind sprong van de bank en naar de wc's rende.

Ik liep achter haar aan. Ik voelde een soort misplaatste trouw ten opzichte van haar en ik wist dat ze van streek was. 'Zit er niet over in, het geeft niet,' zei ik tegen haar. Toen ze naar me keek zag ik verdriet in haar ogen en heel even wilde ik haar in mijn armen houden om haar wat troost te geven. Ik besefte inmiddels dat haar leven met papa geen rozengeur en maneschijn was, maar daar kon ze mij toch niet de schuld van geven. Wilde ze maar tegen me praten. 'Kunnen we niet proberen om beter met elkaar op te schieten?'

Ze schudde haar hoofd toen ik haar een nat papieren handdoekje gaf om haar betraande gezicht af te vegen. Ik maakte me zorgen; Jessie huilde niet, zelfs niet wanneer ze verschrikkelijke ruzie met papa had. Niet dat hij haar ooit sloeg – dat zou ze niet hebben geslikt. Ik zou hebben kunnen zweren dat er dankbaarheid op haar gezicht lag, maar misschien was dat slechts een vrome wens van mij. Ik wist dat Jessie nooit van me zou kunnen houden, ook al werd ze honderd, en eerlijk gezegd zou ik ook nooit haar beste vriendin worden. Maar hoewel we voortaan niet bepaald vriendinnen werden, kregen we toch meer begrip voor elkaar. Ze wilde me alleen nog steeds niet vertellen waar ze van tijd tot tijd naartoe ging. We hadden allemaal verondersteld dat ze haar moeder in Yorkshire ging bezoeken, maar ook nadat haar moeder was overleden bleef ze weggaan.

Ik herinner me een keer dat Jessie er op mijn allereerste afspraakje voor mij was geweest. Een van mijn collegaatjes op de fabriek had een avondje uit voor me gearrangeerd met de gedachte dat mijn vader me daar toch nooit toestemming voor zou geven. Tot mijn verbazing hoorde hij erover van een van mijn broers. Het was vlak nadat ik was weggelopen en hij probeerde me te laten zien dat thuis de beste plek voor me was en dat hij, als het er op aan kwam, een 'prima vader' was. 'Het wordt tijd dat je af en toe eens uitgaat,' zei hij. Ik werd er helemaal verlegen van, maar ik was verrukt toen hij me meenam naar Cheetham Hill, waar je bij de joodse kledingzaken heel goedkoop kleding kon kopen. Ik koos een schattig kobaltblauw pakje van bouclé met een kort, recht jasje en een paar crème schoenen met queenie hakjes. Ik voelde me heel volwassen en 'in'. Papa had geen geld meer voor een paar kousen, maar dat maakte niets uit. Ik was blij. Jessie stond erop dat ik met de jongen thuis kwam eten voordat we naar de bioscoop gingen.

Huiverend van de kou stond ik in de verlaten hoofdstraat in de stromende regen te wachten. Ik stond op het punt het op te geven toen ik opeens met grote ogen iets zag aankomen. O, nee! Het was een jongen die als de dorpsidioot werd beschouwd en het mikpunt van allerlei grappen was. Hij zag eruit als een zwerver en had gaten in de ellebogen van zijn smerige trui; zijn vette haar hing over zijn kraag. Ik voelde me vernederd. Zou ik weglopen? Ik wierp een blik naar de overkant van de straat naar de Conservative Club en zag papa door het raam naar me kijken. Hij had een pul bier in zijn hand en barstte in lachen uit. Ik trok een gezicht naar hem. Ik nam Frankie mee naar huis. Jessie had de tafel met een wit tafellaken gedekt en een feestmaal van hamsalade, boterhammen met boter en cakejes klaargezet.

'Hé, jullie daar, naar boven,' schreeuwde ze naar mijn broertjes terwijl ze met haar duim in de richting van de trap wees. Ze begonnen allemaal hard te lachen toen ze zagen wie ik mee naar huis had genomen. Mijn broertjes kenden hem. Hij was klaarblijkelijk heel populair bij alle jongens in het dorp, maar had volgens horen zeggen nog nooit een vriendinnetje gehad. In de keuken was ik bijna in tranen en vroeg aan Jessie of ze hem wilde wegsturen.

'Ach, kind, hij is een ruwe diamant,' zei ze tegen me en stond erop dat ik toch met hem uit zou gaan. Ineenkrimpend van schaamte en vernedering liet ik hem achter in de bioscoop toen hij een ijsje ging halen.

Op mijn zeventiende verjaardag kreeg ik van de jongens een doos Maltesers. Ik was geroerd en heel erg trots dat ze de één shilling en zes pence alleen voor mij hadden opgespaard. Dermot zei: 'Als ik later groot ben koop ik voor jou de allermooiste jurk op de hele wereld.' Ik slikte mijn tranen weg. Ik wilde hem een kus geven, maar zo zaten we niet in elkaar; we konden elkaar onze liefde alleen maar laten zien door er voor elkaar te zijn en elkaar te helpen wanneer het nodig was. Ik stond de jongsten vaak bij de achterdeur op te wachten als ze uit school thuiskwamen, met een natte lap bij de hand om vuile knieën schoon te vegen en een schoenborstel om modderschoenen af te borstelen. Volgens mijn vader waren dat namelijk doodzonden. Hij was vergeten hoe het was om een klein jongetje te zijn. Hij zou nooit geduld hebben dat de jongens zich gedroegen zoals hij vroeger, van school spijbelen om met zijn vriendjes te gaan vissen en konijnen te vangen; hij moest ook niets hebben van 'tegenspreken' zoals hij het noemde; je moest hem zonder meer gehoorzamen. De afgelopen paar maanden was hij echter iets gemakkelijker geweest en had zelfs een enkele keer met ons meegelachen.

Ik had geen verjaarscadeautje van papa verwacht en was dan ook stomverbaasd toen hij na het ontbijt stralend tegen me zei: 'Van harte gefeliciteerd, Ebbs,' en een grote doos van meer dan een meter lang en zo'n dertig centimeter breed uit de kast onder de trap haalde. Ik had een paar tellen om me in te denken wat er in de doos zat – een fiets misschien? Ik had hem gesmeekt of ik, net als de andere meisjes uit het dorp, een Lambretta-scooter mocht hebben, maar het had geen nut. Toch zou een fiets ook fantastisch zijn: dat hele stuk lopen naar de fabriek om halfzes 's ochtends op die ijskoude ochtenden in het Penninisch Gebergte verbruikte kostbare energie die ik nodig had voor de zware shift die voor me lag. Nee, het kon niets anders zijn dan een fiets, ik wist het zeker. Ik was een en al opwinding. Als het erop aankwam was papa nog niet zo beroerd! Mijn broertjes kwamen allemaal om me heen staan terwijl ik het bruine plakband eraf scheurde en de bovenkant van de doos openmaakte.

'Dank u wel, papa, het is precies wat ik altijd al wilde hebben.' Ik probeerde het niet sarcastisch te laten klinken. Het was een opklapbed met een plank als hoofdeinde die, als het opgeklapt was, een smal tafeltje vormde.

'Zo heb je wat meer meubeltjes in je kamer,' zei papa enthousiast, 'en nu heb je een plek om je beeld neer te zetten.' Hij had me een tijdje geleden toen hij het huis van een oude dame opschilderde een heel groot beeld van gips gegeven, een danseres die haar rok wijd houdt. Het was de enige versiering in mijn verder kale kamertje.

Hevig teleurgesteld ging ik aan de slag met mijn dagelijkse werkjes. In die paar tellen van enorme blijdschap, voordat ik de doos openmaakte, had ik stellig het gevoel gehad dat dit het begin was van een nieuw vredesbestand tussen papa en mij. God mag weten wat er in hem omging toen hij dit cadeau uitkoos. Het was niet alsof ik nu vriendinnetjes te logeren mocht hebben, en we kregen nooit bezoek. Misschien kwam opa terug. Daar hield ik me maar aan vast toen ik de aanval opende op de ui voor papa's middageten voor ik me klaar ging maken voor mijn werk. Zorgvuldig pelde en waste ik de ene helft en deed de andere helft in het boodschappennet dat achter de keukendeur hing. Ik zette zijn maal van gebraden gehakt, uien en aardappelpuree op een dienblad en stond op het punt dat naar hem toe te brengen in de woonkamer. Pas toen ik de klap op mijn achterhoofd voelde merkte ik dat hij pal achter me stond.

'Vieze meid die je bent!' brulde hij tegen me. Hij beschuldigde me ervan dat ik de ui voor het bakken niet had gewassen.

Ik schreeuwde tegen hem terug dat ik hem wel had gewassen, maar hij liet zich niet overtuigen. Ik probeerde de achterdeur uit te rennen toen het bord eten langs mijn hoofd vloog en tegen de muur sloeg; ik keek toe terwijl het eten langzaam langs de muur naar beneden, naar de pas geverfde plint zakte, en ten slotte een weerzinwekkend hoopje op de vloer vormde.

Nadat ik nog een keer eten voor hem had klaargemaakt, stopte ik mijn enige 'goede' onderbroek en een blikje witte bonen in tomatensaus in mijn handtas en ging naar mijn werk. Ik slaagde erin mijn tijd door te komen en was opgelucht toen Jessie om zes uur uit de fabriek vertrok zonder dat ze had gemerkt dat ik doodsbang en in paniek was. Ik was niet van plan om ooit weer terug naar huis te gaan, maar vertelde het deze keer aan geen mens.

Mijn hart bonkte zo hard dat ik werkelijk geloofde dat je het kon horen toen ik later die avond op de wc-pot stond van de openbare damestoiletten op het dorpsplein. Het was pikkedonker en griezelig. Ik hoorde gedribbel van kleine pootjes onder me terwijl ik naar mijn vader keek die, duidelijk op zoek naar mij, in zijn Hillman Minx stationcar door het dorp reed. Toen hij vlak langs de toiletten reed, hield ik mijn adem in en het koude zweet sijpelde langs mijn rug naar beneden. Ik kon zijn gezicht zien; hij zag er niet eens zo heel erg boos uit, alleen wist je dat bij papa nooit zeker. Maar hij zag er wel bezorgd uit. Zijn gezichtsuitdrukking bracht me terug naar mijn kinderjaren, toen ik op mijn zesde roodvonk kreeg en in het ziekenhuis opgenomen werd, en hij angstig door ieder open luikje keek waar bezoekers doorheen mochten kijken om hun familie te zien. Dan schreeuwde ik iedere keer: 'Papa, ik ben hier,' maar niet vanavond.

Op het laatst scheen hij het zoeken op te geven en keerde de auto in de richting van de straat waar wij woonden. Ik zat, zo leek het, urenlang op de wc-bril voor ik me in het duister buiten waagde. Ik hoopte vurig dat meneer Dyson, onze wijkagent, niet op zijn kleine Honda 50-brommertje aan het patrouilleren zou zijn. Zo dicht mogelijk tegen de huizen gedrukt sloop ik zo het dorp uit de grote weg op, richting Manchester en de vrijheid.

Ik had nog geen tien shilling in mijn portemonnee toen ik op de nachtbus tussen Huddersfield en Manchester stapte. Ik was ontzet toen de conducteur drie shilling en zes pence wilde hebben voor een kaartje naar het busstation op St. Anne's Square, maar ik wilde zo ver mogelijk weg komen om de kans dat papa me zou vinden te verkleinen. Toen de bus door een voorstad maar het centrum van de stad reed, zag ik een klooster en stapte de halte erna uit de bus. De eerwaarde moeder in mijn oude klooster had me verteld dat er in Gods huizen altijd een welkom voor mij zou zijn.

De non zei: 'Natuurlijk kun je hier vannacht blijven, maar als je geen werk hebt zal het ook alleen bij vannacht blijven.' Nachtmerries plaagden me die nacht toen ik op een smal, ijzeren bed in een witgekalkt kamertje lag. De enige versiering was een groot crucifix van de stervende Christus. Er zat naar mijn zin veel te veel bloed op dat kruis en ik probeerde er niet naar te kijken. Weer hield ik de baby die in stukken uiteenviel in mijn armen, maar deze keer probeerde ik weg te rennen voor een enorme blauwe duivel en ik liet de baby op de stenen trap vallen. Ik wilde teruggaan en hem oppakken, maar ik was bang; de duivel pakte de baby op.

De volgende ochtend ging ik naar de eerwaarde moeder toe. Vóór haar lag een krant die was opengeslagen op de bladzijde met personeelsadvertenties. 'Wat voor werk zou je graag willen doen?' Daar had ik niet over nagedacht, dus vroeg ik haar om suggesties. Zij dacht dat een tijdelijk baantje als hulp in de huishouding, tot ik wist wat ik wel zou willen, een idee zou zijn. Ze zette een cirkeltje om een advertentie en legde me uit hoe ik naar een adres niet ver weg moest komen.

Toen ik daar kwam moest ik wachten tot de 'mevrouw' van het huis klaar was met haar gesprek aan een witte telefoon. Het was een prachtig gemeubileerd herenhuis en zo ver mijn oog reikte lag er dikke, crèmekleurige vloerbedekking op de grond. Een leuk meisje met donkere ogen, niet veel ouder dan ik, vroeg aan het jongetje dat aan zijn moeders voeten speelde wat hij wilde eten.

'Bonen op geroosterd brood,' zei hij. Hij zei er geen 'alsjeblieft' bij en ik vond dat hij erg onbeleefd tegen het meisje deed; hij zag er heel chagrijnig uit. Zijn moeder, die er in haar strakke, witte broek en donkerroze, donzige trui betoverend mooi uitzag, ging verder met haar gesprek. Ik en al het andere dat in de kamer gebeurde werd genegeerd.

De *au pair* kwam weer binnen met het eten voor het kind, maar hij was zeker van gedachten veranderd. Ik keek geschokt toe toen hij het bord van het dienblad pakte en het op het crèmekleurige tapijt omkeerde.

'Allemensen, Maria, geef het kind wat hij wil en ruim die knoeiboel op,' schreeuwde de moeder, haar gesprek onderbrekend, tegen het meisje.

93

'Neem me niet kwalijk,' zei ik. Ik kon het meisje niet met haar werkgeefster in problemen laten komen en ik was boos dat een kind zich ongestraft op die manier kon gedragen. 'Het jongetje vroeg om bonen op geroosterd brood en wat hij in feite nodig heeft is een flinke tik op de billen.'

Ze beval me onmiddellijk het huis te verlaten en gebruikte haar witte telefoon kennelijk om de eerwaarde moeder te bellen, want toen ik terugkwam in het klooster zei ze dat ze niet dacht dat ik hier 'paste' en dat ik maar het beste iets anders kon regelen.

Bij de bushalte stond ik me af te vragen hoe het nu verder moest. Ik rammelde van de honger, maar mijn totale bezit was vier shilling en tien pence, en daar zou ik niet ver mee komen.

Ik besloot het erop te wagen meneer Rhodes op de fabriek te bellen. Ik vroeg hem of hij mijn loon niet aan Jessie wilde geven, aangezien ik het huis uit was gegaan. Zijn medeleven voor mij bracht me aan het huilen en ik snikte in de telefoon dat het me speet dat ik zomaar was weggebleven en dat ik hoopte dat hij me een aanbeveling zou geven. Toen de snelle tikken in de hoorn me lieten weten dat mijn twee pence bijna op waren hoorde ik meneer Rhodes nog net tegen me zeggen dat ik naar hem toe moest komen.

Ik vertrouwde meneer Rhodes, die een ver achterkleinkind was van Cecil Rhodes, de grondlegger van Rhodesië, en een welwillende baas was die heel goed met 'boerenkinkels' kon omgaan. Hij had een keer grote ruzie met papa gehad. Ik was naar huis gestuurd omdat ik hevige menstruatiepijn had, maar toen Jessie tegen mijn vader zei dat ik maar deed alsof, om aandacht te trekken, stuurde hij me terug naar mijn werk. Papa stuurde me die dag nog twee keer, nadat ik van meneer Rhodes naar huis moest, terug naar mijn werk. Het kantoor van meneer Rhodes had een grote glazen ruit die uitkeek op de weefloods en hij zag dat ik me heel duidelijk beroerd voelde. Uiteindelijk bracht hij me zelf in zijn enorme, zwarte

Humber Hawk thuis en zei tegen papa op zijn deftigste, intellectuele 'Ik-ben-de-baas'-toon dat hij de kinderbescherming erbij zou halen als papa niet beter voor me zorgde, en verder merkte hij op hoe slecht verzorgd en ondervoed ik was. 'Hoe denkt u dat het meisje een hele dag hard werk kan verrichten, en geloof me, het is hard werk, als ze zo slecht gevoed en verwaarloosd is als uw dochter kennelijk is?' Hij gaf papa opdracht dat hij me nog minstens twee dagen niet naar mijn werk mocht sturen en liep met grote stappen het tuinpad af. Papa was wit van woede en vernedering en noemde meneer Rhodes een 'verdomde Engelse kakvent'.

Nu ging ik naar meneer Rhodes toe. Als ik ooit hulp nodig had moest ik hem dat beslist laten weten, zei hij tegen me; en hij gaf me een dikke envelop met drieëntwintig pond, zeventien shilling en zes pence, samen met mijn werknemerspapieren. Ik was rijk.

7

De hospita liet me de kamer zien. 'Het is drie pond tien shilling per week met een week vooruitbetaling.' Ze was nog geen anderhalve meter lang en had een grote bochel, maar ze had een aantrekkelijk gezicht, hoewel het een harde en onbuigzame uitdrukking had. 'Normaal gesproken neem ik geen Ieren, dus pas op of je staat weer op straat,' raspte haar krassende stem tegen me.

Ik knikte alleen maar. Ik had geen keus. Ik móest de kamer in de stinkende, vervallen straat met rode bakstenen huizen in het armste deel van Oldham wel nemen. Hij was de goedkoopste die ik kon vinden nadat ik uren had gezocht en door sommige verhuurders, die bordjes op de ramen hadden waarop stond GEEN ZWARTEN OF IEREN was weggestuurd

Toen ik die avond de trap op naar boven liep, botste ik bijna tegen een stoer uitziende, helemaal in het zwart geklede man op met een hardroze handdoek om zijn nek. Ik wendde mijn ogen af, mompelde een verontschuldiging en vloog naar mijn kamer. De deur draaide ik achter me op slot. Ik voelde me iets veiliger toen ik de zware toilettafel tegen de deur had geduwd. Ik had zojuist de man ontmoet met wie ik meer dan twintig jaar getrouwd zou zijn en hij had me de stuipen op het lijf gejaagd.

Op een avond besloot ik naar mijn kamer te gaan omdat de lucht van gebakken vis en patat die de andere kamerbewoners van kranten aten me het water in de mond deed lo-

96

pen. Zoals gewoonlijk had ik het grootste deel van mijn loon tijdens het weekend opgemaakt zonder aan de komende week te denken.

Het was inmiddels de tweede maand dat ik zelfstandig was en het merendeel van de tijd was ik blut en had ik honger, en soms was ik verschrikkelijk eenzaam. Ik voelde me vreemd stuurloos zonder iemand die me vertelde wat ik moest doen; wie vroeg ik toestemming om 's avonds uit te gaan en voor wie moest ik bang zijn als ik te laat was? Nog weken nadat ik thuis was weggegaan kreeg ik het Spaans benauwd als ik mijn loonzakje openmaakte: hoe kon dit mijn geld zijn? De afgelopen zes jaar was ik door onophoudelijke kritiek en opmerkingen dat ik nutteloos was, en door nooit op enige manier mijn eigen identiteit te kunnen laten gelden 'geïnstitutionaliseerd', net zoals bewoners van internaten, psychiatrische ziekenhuizen of gevangenissen, mensen die niet meer in staat waren zelf beslissingen te nemen en strikte regels moesten naleven, want anders volgde er straf. Als individu had ik geen enkel zelfvertrouwen. En ik vond het heel erg om van mijn 'club' gescheiden te zijn; ik wilde verschrikkelijk graag mijn broertjes terugzien. En ja, bij tijd en wijle miste ik zelfs papa.

Ik was erin geslaagd meteen een baan te krijgen in een van de vele katoenfabrieken in de stad. Zoals zoveel steden in het noorden stond Oldham vol lelijke, rode bakstenen gebouwen die elk hun eigen schoorsteen hadden. Samen met de kolenkachels van de eindeloze rijtjeshuizen in de straten braakten ze dag en nacht rook uit die alles met een laag roet bedekte en 's winters de lucht met verstikkende gele mist verzadigde. Bedekt door een laag vuil en stof, mede veroorzaakt door het verkeer, deden moedige hortensiastruikjes hun best om in kleine voortuintjes in de beter onderhouden straten van deze troosteloze stad tot bloei te komen. Het was een stad die niet veel veranderd kon zijn sinds Blake vroeg of Jezus tussen 'deze donkere satanische fabrieken' zou hebben gewoond; als Hij de keus had gehad, zou dat waarschijnlijk niet het geval geweest zijn.

In het begin van de jaren zestig waren er niet veel jonge meisjes die de fabrieken in wilden. Ze wilden aantrekkelijke banen als secretaresse, kapster of verpleegster. Ze hadden hun moeder en tantes voor hun tijd oud zien worden, versleten en buiten adem van het harde gezwoeg in de katoenfabrieken, en zij moesten er niets van hebben. Voor praktisch iedereen was er nu verdere scholing beschikbaar. In Engeland waren de gezinnen kleiner dan in Ierland, en van kinderen werd niet verlangd dat ze geld moesten verdienen om, zodra ze oud genoeg waren dat ze buiten de deur konden gaan werken, het gezinsinkomen aan te vullen. De massale werkloosheid van het verleden was voorbij. Maar daar maakte ik mij allemaal niet druk om; mijn belangrijkste doel in het leven was toen om in een angstaanjagende wereld zonder de steun van familie en vrienden te overleven.

De meeste bewoners in het huis waren ruwe arbeiders, onverzorgd en grof in de mond en behalve Betty, de hospita, was ik het enige meisje. Naarmate de weken verstreken merkte ik dat bijna alle bewoners een gezond respect hadden voor de man die ik die eerste avond op de trap had gezien. Als hij beneden televisie kwam kijken, gaven ze de enige leunstoel in de gemeenschappelijke zitkamer op. Hij zei nooit veel en scheen niets op te merken van wat er om hem heen gebeurde. Niemand was bevriend met hem en ik probeerde hem uit de weg te gaan.

Maar nu ik op mijn kamer zat te wachten tot de mannen klaar waren met eten, voelde ik de honger pijnlijk in mijn maag knagen. Ik troostte mezelf ermee dat het morgen betaaldag was en bedacht wat ik dan zou eten. De afgelopen twee dagen had ik als voedsel slechts een halve liter melk gehad. Ik hoorde nauwelijks het zachte klopje op mijn deur. Mijn hart sloeg een slag over van schrik; er kwam nooit iemand aan mijn deur.

'Hier, ik heb per ongeluk te veel gekregen. Jij mag het wel hebben.' De stille man, Derek, duwde me een dampend, in krantenpapier gewikkeld pakketje in de handen, draaide zich om en verdween nog voor ik de kans had hem te bedanken snel weer naar beneden. Innig dankbaar voor de eerste vriendelijke daad sinds ik van mijn familie was weggelopen, schrokte ik de heerlijke vis en frietjes naar binnen.

Ik begon me wat prettiger te voelen als ik in de zitkamer voor de bewoners zat, en nu Derek Stones mijn 'vriend' was, deed niemand vervelend. De mannen hadden hun schuine taal wat afgezwakt toen Derek hen had gezegd dat er een 'dame' bij zat. 'Dus let op die klotebek van jullie,' zei hij zachtjes. Dat woord schokte me altijd en ik vond het vervelend dat ik erbij zat als Derek het met een dreigende blik tegen de mannen die in de kamer zaten zei.

Ik ging 's avonds nog steeds niet uit, en hoewel een paar meisjes op de fabriek me soms uitnodigden om met hen mee te gaan naar de pub, was ik bang dat ik gepakt zou worden. Ik wist niet wie of wat me zou pakken; ik wist alleen dat ik 's avonds niet de deur uit mocht. Derek was begonnen zonder kloppen mijn kamer binnen te lopen. Het irriteerde me wanneer hij dit deed, wat nu vaak het geval was, maar ik was te bang om hem te zeggen dat ik liever had dat hij aanklopte, ook al wilde ik dat wel. Ik was bang dat ik hem zou beledigen en hij scheen mijn enige vriend te zijn.

Op een koude, akelige avond was de televisie kapotgegaan en ik zat op mijn sombere kamertje te lezen toen Derek me uitnodigde om bij hem op zijn kamer naar Radio Luxemburg te komen luisteren. Ik hoefde nog geen seconde na te denken over de kans om de laatste hitparade te horen. Ik ging in de schemerige kamer naast Derek op het bed zitten en ik huiverde toen hij zijn arm om mijn schouders legde; het was zo romantisch om alleen te zijn met deze knappe man. Het schemerlicht scheen Dereks tong los te maken. Hij vertelde me dat hij door zijn moeder in de steek was gelaten toen hij nog maar drie jaar oud was. Ze was weggelopen en had hem en zijn twee broertjes alleen gelaten terwijl zijn vader tijdens de Tweede Wereldoorlog in Birma dienstdeed.

'Onze Eddie was te klein om bij de grendel op de deur te komen.' Onder het praten knarsetandde hij. 'We waren drie dagen alleen in dat verrotte huis, zonder eten, zonder wat dan ook.' Zijn stem zwierf weg. Ik wachtte op meer toen hij nog een sigaret opstak. 'Hoe het ook zij, de politie forceerde de deur en wij werden afgevoerd naar het weeshuis in Preston.' Mijn hart ging naar hem uit. Míjn echte moeder was tenminste niet weggelopen toen mijn vader weg was. Instinctief omhelsde ik hem. Bijna zonder dat ik het besefte kuste hij mij. Daarna weet ik niet wat er gebeurde. Als een gloeiend mes schoot de pijn door me heen, maar ik was bang om te schreeuwen voor het geval ik hem zou ergeren. Over zijn moeder praten had hem boos gemaakt en het leek me toe dat hij dat op mij botvierde. Mijn lichaam voelde gekneusd en het was bijna even erg als wanneer papa me een pak rammel had gegeven. Maar dit gevoel dat ik me smerig en beschaamd voelde had ik nog nooit ervaren.

In mijn hoofd zocht ik koortsachtig naar een manier om hem te laten stoppen met dit afschuwelijke 'iets' dat hij met me deed. Ik wilde thuis zijn in mijn kamertje met het lelijke groene beeldje en het schilderij van het prachtige dal in Wales. Ik wilde dat papa bij me was; hij zou dit afschuwelijke dat met me gebeurde wel hebben tegengehouden. Ik wilde horen hoe mijn broertjes in de keuken cowboyliedjes leerden joelen. Ik zou zelfs dankbaar zijn geweest om Jessies monotone, vlakke stem tegen een van de jongens te horen roepen dat ze nog wat kolen op het vuur moesten gooien.

Maar ik lag half over Dereks hobbelige bed boven op een donkerbruine, chenille sprei, verlamd van angst en niet in staat om tegen hem te zeggen dat hij moest ophouden me pijn te doen, omdat ik bang was dat ik hem zou kwetsen. De geur van Palmolive-scheerzeep vermengd met de geur van mannenzweet drong mijn neusgaten binnen. Ik keek strak naar het kale peertje vol vliegenpoepjes dat ergens van het plafond vol vochtplekken naar beneden hing. Toen was het voorbij. De Platters kweelden 'Only yoooou' uit het krakende transistorradiootje toen hij wegrolde naar de andere kant van het bed. Zwijgend pakte hij een sigaret. Ik was hevig geschokt en schaamde me diep toen ik onopvallend mijn kleren rechttrok en wegsloop uit het schemerige, armoedige kamertje aan de andere kant van de overloop.

De dag dat Jessie de brief van Littlewoods Pools had gekregen waarin stond dat ze de duizenden ponden waarvan ze dacht dat zij ze al bezat uiteindelijk toch niet had gewonnen, had ze gezegd: 'Wat er voor je in zit zal je niet voorbijgaan.' Dat was haar manier om al het ongeluk dat haar had getroffen te accepteren. Ik had altijd gedacht dat mijn toekomst niet in de handen van het lot lag, maar op dat ogenblik veranderde mijn leven. Toen ik later wakker lag in mijn eigen koude, harde bed, doodsbang, met mijn betraande wangen het dunne kussen natmakend, waar ik weet niet hoeveel andere hoofden hadden gelegen, weerklonken haar woorden in mijn hoofd. Waarom had ik die bus uit Manchester genomen, het aan het lot overlatend waar ik zou terechtkomen? Ik had niet over mijn toekomst nagedacht; alleen vandaag was belangrijk, mijn onmiddellijke behoefte aan onderdak en werk waren bovenal in mijn gedachten geweest. Terug naar huis gaan was er niet meer bij, ik had mijn schepen achter me verbrand; maar ik was volslagen onvoorbereid op het zelfstandig wonen.

Een paar weken voor ik vertrok had papa tegen me gezegd: 'Als je ooit in de problemen raakt, denk er dan aan dat ik nog steeds je vader ben.' Ik begreep destijds niets van wat hij zei, en misschien had hij moeten uitleggen wat hij bedoelde met 'problemen', maar nu wist ik het.

Ik moest steeds denken aan wat er was gebeurd. Ik wist niets over seks of wat er tussen mannen en vrouwen voorviel. Ik had nooit verder nagedacht over hoe vrouwen zwanger raakten. Ik herinner me zelfs niet dat ik ooit het woord 'zwanger' heb gehoord, en sinds we uit Ierland waren weggegaan, kende ik niemand die een baby had gekregen. Toen ik op school hoorde dat een van de meisjes uit mijn klas een jongen had toegestaan haar blote borsten aan te raken, walgde ik daarvan en kon mezelf er niet toe brengen weer met haar te praten. Nu was ik erger dan zij; ik was een slet, en de volledige betekenis van seks werd kristalhelder voor mij.

Beschaamd om ook maar iemand onder ogen te komen, bleef ik een aantal dagen op mijn kamer. Ik dacht dat iedereen door alleen maar naar me te kijken zou kunnen zien wat ik had gedaan. Derek probeerde me over te halen om naar buiten te komen, maar ik hield mijn deur op slot en deed alsof ik er niet was. Een nieuwe angst overviel me. Was ik in verwachting? Ik wist niet hoe je daar achter kon komen en overtuigde mezelf ervan dat het zo was. Ik kon wel doodgaan. Wat een ellende! En de enige naar wie ik toe kon gaan was Derek.

Toen ik de week daarop op een dag van mijn werk thuiskwam zat er een vreemde man in mijn kamer. 'Derek zei dat het goed was.'

Betty zei tegen me dat ze mijn kamer aan een ander had verhuurd, aangezien ik bij Derek was ingetrokken. Derek had heel mijn hebben en houden die ochtend naar zijn kamer verhuisd. Ik was laaiend.

'Haal die man uit mijn kamer weg, nu!' schreeuwde ik te-

102

gen Betty. Ze glimlachte kwaadaardig tegen me; ze mocht me niet en genoot van mijn netelige situatie. Ik kon haar wel slaan.

Ik was nu in feite thuisloos. Tegen de tijd dat Derek was thuisgekomen was ik één hoopje bange ellende. Zonder direct doel was mijn woede weggeëbd. Ik ging bij het raam in Dereks kamer zitten en keek naar de duisternis die inviel boven de zwarte omtrekken van de stad, die zijn eigen grimmige schoonheid aannam. Ik probeerde te begrijpen wat er was gebeurd. Was het mijn schuld? Had ik Derek enige reden gegeven om te geloven dat er iets tussen ons was? Was het misschien de manier waarop ik op zijn bed had gezeten? Maar er was geen andere plek om te zitten geweest. Misschien had ik hem, zonder het te beseffen, signalen gegeven dat ik belangstelling had. Ik gaf mezelf de schuld. Op dat punt wist ik niet dat hij emotioneel meer beschadigd was dan ik, en dat zijn kinderjaren erger waren geweest dan alles wat ik had doorgemaakt. Ik had mijn leven voor een maaltje fish and chips aan deze man verkocht. Zo kwam het mij toen althans voor.

Ik hoopte wanhopig dat ik ongesteld zou worden en dan zou ik dit afgrijselijke oord verlaten en naar Maureen in Manchester gaan.

'Met z'n tweeën wonen is goedkoper dan alleen. Trouwens, je zou het in je eentje niet veel langer gered hebben,' redeneerde Derek zakelijk toen ik hem vroeg wat hij wel dacht dat hij had gedaan. Natuurlijk had hij gelijk toen hij erop wees dat ik misschien zwanger zou zijn en niet zou kunnen werken; hoe dacht ik mezelf dan te kunnen redden? Ik had geen weerwoord. Ik voelde me geïntimideerd en hulpeloos. Naïef en onervaren als ik was dacht ik dat ik, tot ik zeker wist dat ik niet in verwachting was, geen andere keus had dan daar te blijven. Dat ik zou moeten verduren wat ik in gedachten 'het' noemde, kwam niet eens bij me op.

103

Derek was een onvriendelijke, gesloten man die weinig zei. We gingen 's avonds nooit samen uit en ik voelde me leeg en boos als ik toekeek terwijl hij zich klaarmaakte om op vrijdags en zaterdags uit te gaan. Hij schaamt zich zeker om samen met mij te worden gezien, dacht ik. Ik wist dat ik niet aantrekkelijk of mooi was, dus ik veronderstelde dat het begrijpelijk was. Ik streek zijn overhemd en perste zijn broek en bleef op tot hij thuiskwam om zijn avondeten voor hem klaar te maken. Omdat hij niet schreeuwde of me sloeg slikte ik de situatie. Natuurlijk gebeurde 'het' weer en ik raakte gevangen in een vicieuze spiraal van wachten tot ik ongesteld werd; de weken werden maanden...

Op een zaterdagochtend was ik gehaast bezig de wekelijkse boodschappen te doen, toen het opeens heel hard begon te regenen. Ik vloog de overdekte markt binnen om te schuilen.

'Neem me niet kwalijk.' Een lange man versperde de kleine zijdeur maar de markthal. De man draaide zich om en een ogenblik lang keken we elkaar recht in de ogen, elkaar onmiddellijk herkennend.

'Ebbs!' Het was mijn vader. Ik wachtte niet; ik vloog terug de stromende regen in en rende zo snel mogelijk terug naar het logement. Toen ik veilig terug was in de kamer die ik met Derek deelde, liet ik me achter de deur op de grond zakken en zat daar huilend af te wachten. Was hij achter me aan gekomen? Ik kon nauwelijks ademhalen en trilde als een espenblad tot Derek van zijn werk thuiskwam.

Onlangs ontdekte ik door gesprekken met mijn broers dat mijn vader me die dag probeerde te volgen, maar me in de zaterdagse drukte op straat kwijtraakte. 'Ze zag er heel mager en slecht uit,' zei hij tegen Jessie toen hij naar de markt terugkwam. Jessie had geen medelijden; het kon haar absoluut niet schelen wat er met mij gebeurde; ze ging gewoon verder met haar boodschappen. Maar hij wist in ieder geval dat ik niet al te ver weg was. Hij was boos op haar toen ze weigerde met meneer Rhodes te gaan praten om erachter te komen of hij misschien wist waar ik woonde. Mijn vader overwon zijn trots en ging naar mijn ex-werkgever toe.

'Ik zal zien wat ik kan ontdekken, meneer Doyle,' zei hij toen papa uitlegde hoe bezorgd hij zich maakte.

8

Papa had heel zijn leven last van zijn impulsiviteit. Hij had Jessie destijds ontmoet op dezelfde avond dat hij in Engeland aankwam, nadat hij ertoe gedwongen was geweest ons allemaal naar een huishoud- en nijverheidsschool te sturen. Beetje bij beetje slaagde ik erin de gebeurtenissen te reconstrueren die Jessie in ons toch al hevig beschadigde gezin brachten. Hij ontmoette haar in de plaatselijke pub in Holmfirth in Yorkshire. Hij was op zoek naar een kamer en Jessie had hem van top tot teen bekeken. Hij vertelde me een keer: 'Wat een lef, zelf zou ze ook zo uit de woonwagen van een zwerver kunnen zijn weggelopen.' Hij besefte al snel dat ze doodongelukkig was in haar huwelijk met David. Hij had verschrikkelijk hard een moeder voor ons nodig en moest ons uit de instellingen weghalen. Zijn grootste angst was dat de jongens aan de Christian Brothers zouden worden overgedragen. Nog een jaar en dan zou ik bij de Sisters of Mercy worden weggestopt. Beide mogelijkheden waren ondenkbaar. 'Er is niets christelijks of genadigs aan die smeerlappen,' zei hij tegen Jessie terwijl hij probeerde haar over te halen met hem mee terug te gaan naar Dublin. Hij vond het niet belangrijk hoe ze eruitzag of hoe ze gekleed was; hij wist alleen maar dat ze haar huis schoonhield en een behoorlijk maal op tafel kon zetten. Op de een of andere manier voelde hij zich 'veilig en geborgen' wanneer ze in de buurt was en hij was er zeker van dat hij de juiste beslissing nam door haar te vragen een moeder voor zijn kinderen te zijn.

Vanaf het allereerste moment was duidelijk dat Jessie mij niet mocht. Hij ging ervan uit dat het begrijpelijk was, gegeven de omstandigheden, maar wist dat ze soms te ver ging. 'Je grootvader had in zekere zin gelijk toen hij tegen Jessie zei dat ze waar het jou betrof moest ophouden, maar niemand hoefde mij te vertellen hoe ik mijn leven moest inrichten, of zich te bemoeien met het grootbrengen van mijn kinderen,' vertelde hij me met iets van spijt in zijn stem. Opa's hatelijke opmerking dat hij een sadistische schoft was om zijn kinderen als kleine slaven te behandelen had hem diep gekwetst. Maar, zo redeneerde hij, Jessie werkte hard in de jamfabriek en zoveel kwaad kon een beetje huishoudelijk werk ook weer niet.

Toen opa die afschuwelijke avond het huis uit was gestormd met de boodschap dat hij naar Ierland terugging, wist mijn vader zoals gewoonlijk niet hoe hij moest zeggen dat het hem speet. 'Nou, laat hem maar, hij kan in zijn eigen vet gaar smoren,' foeterde hij tegen zichzelf nadat opa vertrokken was. Vervolgens hoorde ik hem tegen Jessie schreeuwen: 'De oude man had gelijk, laat Evelyn nu eens met rust, hoor je? Het is om jou dat hij nu weg is.' Hij sloeg zo hard met de deur dat het hele huis ervan schudde en het geluid door de straat echode toen hij naar zijn toevluchtsoord, de pub, verdween.

In de pub kon hij zich ontspannen en plezier hebben met het piano spelen en met het opschepperige gepraat meedoen. Als Jessie meer aan haar uiterlijk had gedacht zou hij haar hebben meegenomen. Maar ze zag er niet uit in haar oude flodderbroek en grote, vormeloze truien. Hij zou het haar voor geen goud hebben verteld, maar waarom droeg ze eigenlijk geen beha, en hield ze eindelijk eens op met het dragen van zijn oude onderbroeken? 'Er was niets vrouwelijks aan haar,' fluisterde hij me een keer, jaren later, half toe. Het kwam niet bij hem op dat dit dure dingen waren; de vrouwen die naar de pub gingen zagen er altijd keurig uit en roken lekker, maar díe hoefden geen zes kinderen te eten te geven en bijna alle rekeningen van hun magere loontje te betalen. Ik weet zeker dat mijn vader er niet over gedacht zou hebben om het met een andere vrouw aan te leggen, hoewel ettelijke vrouwen geprobeerd hadden hem aan de haak te slaan – hij was bovenal trouw en eerlijk; trouwens, hij had genoeg aan één vrouw tegelijk. Alleen geloofde Jessie hem niet. Ik weet zeker dat hij niet meer wist hoe hij moest liefhebben. Ogenschijnlijk hield hij niet meer van Jessie of van wie dan ook. Naar zijn mening veroorzaakte het pijn als je van mensen hield, en met zijn moeder en zusje die overleden toen hij kind was, en zijn vrouw die bij hem wegliep, had hij het hoofd geboden aan alle pijn die hij kon verdragen. Nu kon hij geen emotie meer tonen en het grootste deel van de tijd voelde hij zich leeg en gespannen.

Nu we opgroeiden in dit land waar kinderen de ouders schenen te regeren maakte papa zich zorgen dat wij het respect voor mensen die 'ouder en wijzer zijn dan jullie' zouden verliezen. Wat hem betrof hadden kinderen een plaats en zolang zijn kinderen zich onder zíjn dak bevonden, zouden zij die houden ook. Papa vond dat hij soms misschien wel wat streng voor ons was, maar dat strakke discipline ons niet zou schaden. Hij was verbijsterd dat opa hem wreed noemde. Diep in zijn hart wist hij dat wij allemaal, hoe dan ook, vroeg of laat bij hem zouden weggaan en hij zijn oude dag in eenzaamheid zou doorbrengen; iedereen had hem immers toch al op de een of andere manier verlaten? Het kwam niet bij hem op dat hij zelf degene was die iedereen met zijn onbeheersbare buien en plotselinge stemmingswisselingen wegjoeg. Maar wij, als kinderen, konden dit onmogelijk begrijpen en leefden in voortdurende vrees voor zijn volgende slechte bui.

Papa had gedacht dat alles misschien anders zou worden als hij zijn gezin weghaalde uit de kleurloze stad waar het altijd scheen te regenen – niet de zachte regen van thuis, maar neerstriemende regen die je door en door verkleumde – en

waar niets groens was om de scherpe kanten van het landschap weg te nemen. Daarom had hij besloten om uit Manchester weg te gaan. We gaan op het platteland wonen, dichter bij je familie, had hij tegen Jessie gezegd toen ze weer eens
had gedreigd om weg te gaan. Hij was eraan gewend geraakt
dat zij er was en wist dat het haar niet zou meevallen om opnieuw te beginnen; ze kon onmogelijk terug naar Holmfirth
en hij voelde zich daar verantwoordelijk voor.

Hij nam zich voor om ons wat minder streng te bejegenen,
maar er hing een waas van somberheid om hem heen toen opa
eenmaal vertrokken was; harde woorden konden niet meer
worden teruggenomen.

Het is moeilijk te weten hoe anders mijn leven geweest zou
zijn als ik had geweten dat papa wanhopig naar me had gezocht en me niet zou hebben gedwongen mee naar huis te
gaan. Als ik had geweten dat hij me zou hebben gesteund, of
ik nu zwanger was of niet, zou ik zeker in contact met hem
zijn gebleven. Ik wist niet dat hij ondanks alle aframmelingen
en al zijn geschreeuw naar ons toch van zijn kinderen hield
en ons tegen de harde buitenwereld wilde beschermen. Het
kostte me echter moeite te geloven dat papa eindeloze slape-
loze nachten lang over mijn veiligheid en welzijn had liggen
piekeren.

De grote auto scheen de kleine, smalle straat te vullen en de
buren hingen uit hun ramen en keken hun ogen uit naar de
twee goedgeklede zakenlieden die op de smerige deur van het
pension klopten. Betty duwde met haar vingers haar vettige
haar naar achteren en deed er een elastiekje omheen in een
poging er netjes uit te zien.

'Wacht u even, ik zal kijken of ze thuis is,' zei ze tegen meneer Rhodes en deed onbeleefd de deur voor zijn neus dicht
terwijl zij, opgelucht dat ze niet voor haar kwamen, naar boven liep om mij te halen.

In de paar tellen die het in beslag nam voordat de mannen de trap op kwamen slaagde ik erin Dereks schoenen onder het bed te schoppen en zijn toiletspullen in een la weg te stoppen. 'Evelyn, je vader maakt zich zorgen om je. Wil je hem opbellen?' Meneer Rhodes was vriendelijk en liet niets van zijn afkeer voor mijn leefomstandigheden blijken. Hij beloofde dat hij mijn adres niet aan papa zou doorgeven. Hij vroeg me of ik gelukkig was en zei me dat ik, als hij iets voor me zou kunnen doen, alleen maar contact met hem hoefde op te nemen.

'Ik ben heel gelukkig,' loog ik. 'Mijn vriend en ik zijn aan het sparen voor een aanbetaling voor een huis. Ja, ik ben heel gelukkig.' Ik hoopte dat ik overtuigend klonk. Meer dan wat ook ter wereld had ik in zijn grote, schone auto willen stappen en deze nachtmerrie waarin ik me bevond achter me willen laten, maar ik had mijn trots en voelde me heel dom en schaamde me dat hij me in zulke erbarmelijke omstandigheden aantrof. Ik vond het goed dat hij Noel het telefoonnummer van het munttelefoontoestel in de hal zou geven; ik hoopte dat mijn broertjes tenminste zouden bellen.

9

Het waren de swingende jaren zestig. Hoge kapsels en naaldhakken van vijftien centimeter maakten plaats voor mini-
rokjes en leuke, kniehoge, witte plastic laarzen met halfhoge
hakjes. Nylon panty's waren nu ook goedkoop genoeg voor
gewone, werkende meisjes en bevrijdden vrouwen van jarre-
telles, die voortdurend in de meest gênante situaties losscho-
ten. Vrouwenemancipatie was helemaal de rage en beha's
werden ceremonieel verbrand, meestal door broodmagere
vrouwen – de beter bedeelden onder ons bleven hardnekkig
vasthouden aan onze puntige katoenen pogingen met Play-
tex. De Rolling Stones kregen 'geen voldoening' met hun
'Can't get no satisfaction' en de Beatles hadden het moeilijk
in een 'hard day's night'. De jongens lieten hun haar in wilde
haardossen groeien, droegen kleren met bloempatronen en
verkondigden met een terloopse schouderophaal en een Mid-
den-Atlantisch accent 'peace, man'. Wat iedereen wilde was
'ban de bom'. Er was vrije liefde.

Een oude man op het werk merkte verbitterd op: 'Een verdomd stelletje slappelingen is het, ze hebben verdorie een nieuwe oorlog nodig; ja, daar zouden ze wel discipline van leren.'
'Teenager' was een nieuw woord van de lippen van de nieuws-
lezers; zij waren nu de nieuwe economische macht. Zij waren
gretige kopers en er waren zelfs winkels speciaal op hen gericht. Ze waren allemaal 'hip' en 'cool'.

De Amerikanen en Russen deden een wedren naar de maan,

maar hadden de wereld met de impasse over Cuba in vrees voor een kernoorlog gedompeld. Wij hielden onze adem in toen de Russen in westelijke richting de Atlantische Oceaan overstaken terwijl we ons afvroegen of ze op tijd zouden omkeren. President Kennedy werd op schokkende wijze in Dallas vermoord en we rouwden allemaal; Jack Ruby schoot tijdens een live nieuwsuitzending in Amerika Lee Harvey Oswald dood die naar verluidt de moordenaar was. Hippies lieten vrije liefde voor wat die was en werden vredesdemonstranten. Bij rellen in Londen protesteerden ze tegen de Amerikanen die oorlog voerden in Vietnam, en vochten tegen politieagenten en verwondden paarden; het land was buiten zichzelf. De oudere generatie eiste de herinvoering van de dienstplicht die zojuist was afgeschaft. De Mini rolde van de productieband in de autofabriek in Longbridge en de vakbonden ontdekten dat zij de macht hadden om het land op de knieën te krijgen. Politieke partijen speelden in en buiten Downing Street de stoelendans.

Niets van dit alles maakte voor mij enig verschil. De 'swingende jaren zestig' gingen mij volkomen voorbij. Ik was niet hip en niet cool. Dagen, weken en maanden volgden elkaar naadloos en monotoon op in ononderbroken geestdodend werk in een verscheidenheid aan laagbetaalde, ongeschoolde baantjes. Ik werkte niet meer bij de katoenfabriek; ik werd ziek van alle viezigheid en het lawaai. Omhuld door een blauwe wolk sigarettenrook zei dokter Duddy me dat ik ander werk moest zoeken. Hij krabbelde een recept voor antibiotica voor me neer en raadde me aan om de Woodbines voor iets minder sterks te verruilen. Voortaan rookte ik de nieuwe filtersigaretten.

Mijn broertjes hadden inmiddels al sinds een aantal maanden contact met me opgenomen en ik leefde voor hun onregelmatige telefoontjes. Alleen stond ik elke keer dat er gebeld werd doodsangsten uit dat papa misschien aan de andere kant van de lijn was. Mijn broertjes verzekerden me dat hij niet wist dat we contact hadden. Derek had gezegd dat je met z'n tweeën even goedkoop kon leven als één persoon, maar op de een of andere manier werkte dat zo niet. Ik had geen flauwe notie waar het geld bleef en ik durfde er Derek niet naar te vragen; we waren constant blut.

'Ik heb gehoord dat ze op de bussen goed betalen,' zei ik op een avond tegen hem toen hij wilde dat ik een paar pond ging lenen bij een Ier die enkele weken ervoor in het pension was komen wonen. Ik vond de gedachte aan geld lenen even weerzinwekkend en beschamend als om in het winkeltje om de hoek te vragen of ik op de pof kon kopen, maar ik deed het. Derek, die nu vrachtwagenchauffeur op lange afstanden was, wilde niet dat ik op de bussen werkte, maar gaf toe dat we het geld nodig hadden en stemde ermee in dat ik ging solliciteren.

Ik vond mijn werk als busconductrice fijn en deed vaak dubbele diensten omdat, afgezien van het extra geld, ik me weer in de situatie bevond waar mijn werk mijn hele sociale leven uitmaakte. Niemand had door hoe ellendig ik me voelde; ik had de bijnaam 'lachebekje'. Enkele oudere conductrices mopperden geërgerd over 'dat jonge spul dat alleen maar op geld uit is'. Ik voelde me aangetrokken tot een paar van de jongere chauffeurs, maar toen een van hen me vroeg om met hem te gaan dansen weigerde ik en deed of ik woedend was. 'Ik ben een fatsoenlijke getrouwde vrouw,' zei ik tegen hem. Ik schaamde me ervoor dat we hokten, of 'over de bezemsteel' leefden, zoals ze in Oldham zeiden.

Op een dag liep ik snel naar de warmte en het geroezemoes van de personeelskantine toen ik opeens een bekende figuur op een houten bank in de koude, smerige wachtkamer van de remise zag zitten. Ik bleef stokstijf staan. Het was Jessie. Langzaam, met enige schroom liep ik naar haar toe. Ze zag

113

me, maar op haar gezicht stond niets te lezen. Ik verwachtte niet dat ze tegen me zou lachen, maar ik zag dat er iets mis was. Had iemand een ongeluk gehad? Was er iemand doodgegaan? Ik ging naast haar op de bank zitten en kwam verbaasd tot de ontdekking dat ik hoopte dat niemand van mijn collega's mij tegen haar zag praten; ze zag er smerig en sjofel uit. Ik voelde ook medelijden met haar. Ik wist dat ze niet alleen maar slecht was en ik wilde mijn armen wel om haar heen slaan. Maar nog steeds was die onzichtbare stenen muur er; ze verstijfde toen mijn knie haar raakte.

'Hoe wist u me te vinden?' vroeg ik. Als zij wist waar ik was, zou papa het immers ook weten. Ze vertelde me dat haar vriendin me had gezien. Elsie was Jessies enige 'vriendin': een vriendin in de betekenis dat ze elkaar op de fabriek zagen – Jessie hield er geen sociaal leven op na. Terwijl ik wachtte tot ze me vertelde waarom ze me had opgezocht, besefte ik tot mijn afschuw dat ik in dezelfde val viel waar zij ook in zat.

'Ik moest je waarschuwen, kind,' begon ze op die ergerlijk langzame, matte toon waaraan ik zo'n hekel had. 'Voor de dag ermee!' wilde ik zeggen maar ik hield mijn mond terwijl ze langzaam een sigaret rolde en in het donkere gat van haar rode leren boodschappentas naar een lucifer zocht om hem op te steken. Eindelijk keek ze me recht aan. 'Je vader gaat een verzoek bij de rechtbank indienen om je terug naar Ierland te laten brengen.' Kieskeurig plukte ze met haar duim en wijsvinger een verdwaald draadje tabak van haar tong en bestudeerde het een paar tellen voor ze het weggooide. 'Hij weet dat je met een man samenwoont.'

Ze ging staan en keek me aan. Ik voelde het bloed uit mijn gezicht wegtrekken en bleef zitten omdat ik niet zeker wist of mijn benen me zouden dragen.

'Daar kwam ik voor.' Ze draaide zich om.

Terwijl ik haar met die vreemde, wiegende gang zag weglopen, bleven haar woorden in mijn hoofd weerklinken. Als papa me wilde laten terugbrengen, zou dat maar één ding betekenen: dat hij me zou laten opsluiten bij de Magdalene Sisters, om in de wasserijen te werken. Het feit dat ik in 'zonde' leefde was meer dan voldoende voor hem om te bewijzen dat ik verdorven was en me voor een rechtbank in Ierland te brengen; de ergste nachtmerrie van mijn kinderjaren was nu een werkelijkheid die heel dichtbij was.

Die avond trof Derek me aan terwijl ik bezig was de paar dingen die ik bezat in een oude boodschappentas te stoppen. 'Ik vertrek,' zei ik terwijl ik heen en weer flitste en spulletjes die van mij waren oppakte en in de zak stopte. Hij pakte me bij de polsen zodat ik stil moest blijven staan en ik vertelde hem wat Jessie had gezegd.

'Je gaat nergens heen. Ik zal je vader opbellen.' Hij pakte mijn tas op en begon erin te rommelen om mijn kleine notitieboekje te vinden. Ik was witheet; hoe wáágde hij het om in mijn tas te kijken, dacht ik. Dat was privé en van niemand anders; zelfs die keer dat papa bij mij naar sigaretten zocht, had ik zelf mijn tas voor hem moeten omkeren. Ik dacht aan Jessie en dat ik beslist niet zoals zij wilde worden, zo verslagen en gedeprimeerd nadat ze heel haar leven door de een na de ander was gekoeioneerd. Haar enige revanche was dat ze anderen, die zwakker waren dan zij treiterde en pijn deed. Inmiddels was ze bijna vijftig en ze was een verbitterde, diep ongelukkige vrouw geworden. Nu ik een paar jaar onder 'normale' mensen in de buitenwereld had geleefd, was ik tot de slotsom gekomen dat papa Jessie meer als dienstmeid dan als partner behandelde. Hij had als kind geen persoon tot voorbeeld gehad omdat zijn moeder lange tijd ziek was geweest, en dus had mijn vader zichzelf opgevoed. Toen hij een betrekkelijk vreemde had gevraagd deel van zijn gezin uit te maken, had hij niet aan de implicaties gedacht. Nadat ze ruzie hadden gehad of Jessie een tijdje weg was geweest ging alles ook een beetje gemakkelijker, had ik gemerkt.

Ik probeerde mijn tas van Derek terug te pakken. 'Het kan me niet schelen wat je zegt of doet, maar ik ga,' schreeuwde ik tegen hem.

Voordat ik wist wat er gebeurde sloeg hij me hard midden in mijn gezicht. Te geschokt om iets terug te doen, zakte ik tot een snikkend hoopje op de vloer ineen.

'Je hebt mijn dochter ontvoerd, jij vuile smeerlap,' brulde mijn vader door de telefoon.

Derek dacht dat hij krankzinnig was en probeerde hem te kalmeren. 'Bij mij is ze veilig; jij bent degene voor wie ze bang is, idiote zak!'

Het had geen zin; wanneer papa in zo'n gemoedstoestand verkeerde viel er niet tegen te praten, en Derek hing op.

Derek was niet van plan om mij van hem te laten weglopen en hij had er spijt van dat hij naar me had uitgehaald. Huilend smeekte hij me niet bij hem weg te gaan en hem te vergeven. Hij wist niet wat er over hem was gekomen. 'Ik hou echt van je en ik wil je niet verliezen,' zei hij tegen me, en ik geloofde hem. Toen hij zei dat hij liever zijn handen afhakte dan mij pijn te doen, geloofde ik hem.

Veilig in de wetenschap dat ik bemind werd en door 'mijn man' beschermd zou worden, nam ik het besluit mijn vader te gaan opzoeken. Ik trok mijn spijkerbroek aan en deed mijn haar in een paardenstaart. Ik was van plan om voor mijn onafhankelijkheid op te komen en ik was me er heel goed van bewust dat ik door het dragen van een spijkerbroek zijn aanvaarding van mij als volwassene zou toetsen.

10

Op trillende benen liep ik naar het huis toe. Ik had al spijt van mijn besluit om de spijkerbroek aan te trekken en verwijderde snel het elastiekje dat de paardenstaart op zijn plaats hield. Papa's glimmende blauwe Hillman stond in de straat geparkeerd. Ik aarzelde en klopte toen zacht aan; ik had nog tijd om van gedachten te veranderen.

'Doe verdorie die deur open,' hoorde ik mijn vader schreeuwen als tegen een achterlijke bediende. Hij was niet veranderd, maar ik had niet kunnen wegrennen, ook al had ik gewild; ik stond als aan de grond genageld op het met bleekwater geschrobde stoepje.

Er is iets ondefinieerbaars aan een huis waar geen liefde is. Het is doordrongen van een grauwheid; niets glanst er, de bewoners wel het allerminst; en er hangt een diepe stilte die wacht om te worden doorbroken; de schijnbare rust is heel bedrieglijk.

Jessies halve-litermok met bruine theeaanslag stond op de haardsteen naast een groen uitgeslagen koperen asbak en in het haardrooster gloeide een armzalig vuur dat met geen mogelijkheid enige warmte kon geven. Een paar koperen ornamenten stonden lukraak op de schoorsteenmantel boven de kleine, betegelde open haard. De krappe, oude, rood met crème gestreepte gordijnen hingen slap en verwaarloosd aan een draad die tussen twee grote schroeven boven de ramen gespannen was.

Toen ik de kamer binnenkwam sprong papa overeind uit zijn stoel.

'Wat is er aan de hand?' Zijn onmiddellijke reactie was dat ik in de problemen zat en er stond angst op zijn gezicht te lezen. Ik zei dat ik hier was om te praten over zijn bedoeling me naar Ierland terug te sturen.

'Waar heb je verdorie dát stomme idee vandaan?' Hij wist werkelijk niet waar ik het over had. Hij was echt geschokt toen ik hem over Jessies bezoek aan het busstation vertelde. Stoutmoedig stak ik een sigaret op. 'Ik ga nergens heen. Ik ben met Derek verloofd,' loog ik.

Papa zei tegen Dermot dat hij thee voor me moest gaan zetten en hij haastte zich weg. Ik voelde een intens medelijden met dit kleine jongetje en wenste met mijn hele hart dat ik hem met me mee kon nemen. Maar ik hield mijn mond. Ik kon nu nog geen van mijn broertjes helpen en als ik iets zei maakte ik alles misschien nog erger.

'Wil je niet weer thuiskomen?' vroeg papa me. Hij scheen niet op te merken dat ik rookte of, als hij dat wel deed, zei hij er niets over. 'Het zou allemaal anders worden,' verzekerde hij me. We zaten als gelijken te praten en thee te drinken. Ik dacht even na over de mogelijkheid om weer thuis te komen – tot Jessie binnenkwam.

'Wat doet zíj hier?' wilde Jessie weten. Haar afkeer van mij was tastbaar.

Ik stond op om te vertrekken, maar ik moest van papa weer gaan zitten. Tegen haar zei hij dat het haar niets aanging wie er in dit huis was. Bijna voor ik het wist zat ik midden in een heftige ruzie met mijzelf als onderwerp. Ik glipte ongemerkt weg. Jessie ging de dag erna bij papa weg.

Nu was ik geen *persona non grata* meer en de drie oudste broertjes vonden dat ze me konden bezoeken wanneer ze wilden. Dit maakte mijn leven gelukkiger. De jongens mochten Derek wel; ze waren 'mannen onder elkaar' en omdat mijn broertjes een vriend in hem hadden, deed ik uiteraard alles om het hem naar de zin te maken. Maar in wezen was ik nog steeds ellendig en voelde ik me in de val zitten.

Papa vroeg me iedere keer dat ik bij hem op bezoek ging of ik thuiskwam en toen al zijn geflikflooi en emotionele omkoperij niets uithaalde keerde hij zich op een keer tegen mij. 'En kom niet nog weer eens dit huis binnen met een broek aan, verdomde slet,' brulde hij. Terwijl ik naar buiten beende zei ik dat hij zich geen zorgen hoefde te maken, want dat ik helemaal niet meer kwam. Ik kwam tot de slotsom dat ik papa alleen maar zover zou kunnen krijgen dat hij ophield met zeuren over thuiskomen en 'de plichtsgetrouwe dochter' zijn en voor 'je arme, oude vader' zorgen als ik Jessie ging zoeken en haar kon overhalen om terug te gaan. Dat vond ik destijds niet egoïstisch van mezelf, maar ik dacht onmiskenbaar wel aan mezelf. Hoewel ik verre van gelukkig met Derek was, wist ik dat ik zoals zoveel Ierse dochters zou eindigen als ik weer naar huis ging: praktisch een slavin voor de mannelijke gezinsleden tot die trouwden en de ouders overleden; en papa was zo groot en sterk dat hij nog wel veertig of vijftig jaar kon blijven leven. Ik huiverde bij de gedachte aan nog zoveel jaar met zijn geschreeuw over zijn worstjes die verbrand waren en over zijn gekookte eieren die niet goed waren. Ik koos de minste van twee kwaden en besloot dat Derek mijn beste kans was. Ik zou nooit een andere kans krijgen om een aardige jongen te ontmoeten en verliefd te worden zoals de meeste andere meisjes van mijn leeftijd. Derek had me immers verteld dat ik 'bedorven waar' was en dat mannen geen tweedehands goed wilden. Ik zat vast waar ik was. Nou ja, dacht ik, ik zal er het beste van moeten maken.

'U kunt hier niet blijven,' zei ik tegen Jessie toen ik haar een paar weken na mijn ruzie met papa vond. Ze had contact gezocht met Maurice en hij gaf me haar adres. Arme Jessie: mijn kosthuis mocht dan sjofel en ellendig zijn, het smerige onderkomen waarin zij probeerde te leven was nog erger. In elke kamer woonden vijf of zes Pakistaanse jonge mannen en er hing een overweldigende stank van zweet vermengd met kerrie. Hun muziek, die me heel vreemd in de oren klonk, schetterde uit de ramen en was halverwege de straat al te horen. Jessie zat in een achterkamertje van nog geen twee bij tweeenhalve meter. Het beetje kleren dat ze had en een handdoek lagen netjes opgevouwen op de grond en het smalle divanbed was het enige meubelstuk.

'Het gaat best en de jongens zijn aardig voor me.' Ze keek me niet aan.

Ik moest de juiste woorden vinden om haar over te halen uit deze afschuwelijks situatie weg te komen. Ze was heel erg mager en haar huid hing in plooien van haar stakerige armen. Haar bruine ogen stonden mat en lagen diep in hun oogkassen; haar haar hing slap en vet naar beneden.

'Jessie, papa wil dat je thuiskomt. Alles is beter dan dit hok.'

Ik ging op de divan naast haar zitten en bood haar een sigaret aan. Ik wilde niet dat ze mijn gezicht zag voor het geval mijn uitdrukking de werkelijke reden voor haar terugkeer naar huis verried. Maar ik voelde oprecht medelijden met haar; op deze afschuwelijke plek zou ik met iedereen medelijden hebben gehad. Jessie had heel haar leven hard gewerkt en hier zat ze in troosteloze armoede en ellende in een getto met als enige bewijs voor al haar inspanningen een stel tweedehands kleren en een sleetse handdoek. Het begon bij me te dagen dat wij, mijn broertjes en ik, er de waarschijnlijke oorzaak van waren dat haar relatie met papa mislukt was.

Toen papa en zij me in het klooster hadden bezocht, was ik jaloers geweest op de manier waarop ze elkaars hand vasthielden en geheime, kleine grapjes met elkaar deelden. Toen wij nog maar pas thuis waren, gaf papa haar altijd een kus op de mond als hij naar zijn werk vertrok en hadden ze altijd meer dan genoeg stof tot een gesprek. Maar niet lang nadat we naar Manchester waren verhuisd veranderde dat allemaal. We zaten krap in het geld en de ruzies begonnen. Ik veronderstelde dat ik wrok gevoeld zou hebben over een stelletje kinderen waardoor ik vastgeketend zat aan inspannend hard werk en armoede. Dat zou Derek en mij niet overkomen; ik zou proberen van hem te gaan houden. Ja, ik zou zelfs doen alsof ik 'het' prettig vond, maar ik zou ervoor zorgen dat ik een succesvolle loopbaan kreeg en niet van wie dan ook afhankelijk was voor voedsel en onderdak. Ik werd volwassen op het moment dat ik besefte dat er maar heel weinig gelukkige mensen waren die alles hadden, en dat ik daar niet bij hoorde. Ik zou het beste van de situatie maken en zelfs als ik iedere stap naar enig succes moest bevechten, was ik vastbesloten om dat te krijgen.

Jessie keek strak naar een plek net achter mijn linkerschouder en zei, als tegen zichzelf, bijna fluisterend: 'Ik heb het allemaal verdiend. Ik had het niet moeten doen, maar anders was ik dood geweest.' Er viel een lange, drukkende stilte terwijl ik, wachtend op meer, mijn adem inhield. Op het laatst schudde ze haar hoofd en zuchtte diep. Er kwam een uitdrukking van volledige overgave en gelatenheid op haar gezicht; maar meer wilde ze niet loslaten.

'Kom, u gaat vandaag nog hier weg.' Ik nam het heft in handen en Jessie bood geen tegenstand.

Binnen het uur had ik haar thuis, bij papa, afgeleverd. Hij was ontzet over hoe ze eruitzag en had de jongens onmiddellijk druk aan het werk met eten bereiden, het vuur aanmaken en een warm bad vol laten lopen. Mijn broertjes schenen een gezamenlijke zucht van opluchting te slaken dat Jessie weer terug was. Alle aandacht was op Jessie gericht, zelfs de hond scheen van opluchting te blaffen. Ik bemoeide me er verder niet mee, glipte ongemerkt het huis uit en rende om de bus terug naar Oldham te halen. Vandaag zou de eerste dag van de rest van mijn leven zijn.

11

In meer dan twee jaar nam ik niet de moeite om papa en Jessie te bezoeken; hij maakte al ruzie met me ongeacht hoe hard ik mijn best deed dat te vermijden, dus vond ik het maar het beste om hem met rust te laten. Ik besloot naar mijn eigen moeder op zoek te gaan. Derek begreep dit, hij was immers zelf in een weeshuis grootgebracht en had verschrikkelijke wreedheden van de kant van de 'vader en moeder' van het huis ondergaan.

Toen Dereks moeder uit zijn leven verdween, waren Derek en zijn oudere broertje Eddie onder een smerige, blauwe deken in de koude, donkere kamer bij elkaar gekropen; de baby lag nog steeds in de kinderwagen waar hun moeder hem had achtergelaten. Ze hadden geen idee hoelang het al geleden was sinds hun moeder had gezegd dat ze wegging, maar Eddie wist dat het al heel lang was geweest en ze waren heel erg bang.

Derek herinnerde zich dat zijn moeder voor ze wegging zei: 'Je vader is opgesodemieterd naar de oorlog en ik ga uit dit gat weg.' Hij herinnerde zich niet dat hij ooit een vader had gehad; slechts weinig vriendjes bij hem in de straat hadden een vader, hoewel sommigen zeiden dat ze er wel een hadden.

Eddie en Derek hielden niet van de 'huurbaas' die op de deur kwam bonken. Dan moesten ze stil zijn en doen alsof ze er niet waren, en dan doken ze allemaal achter de bank weg tot hun moeder zei dat ze weer te voorschijn mochten komen. 'Maar soms liet ze hem binnen en nam hem mee naar haar slaapkamer.' Derek en ik lagen 's avonds laat in het donker op bed terwijl hij mij over de verschrikkingen van zijn kinderjaren vertelde en vaak bleef hij tot in de kleine uurtjes doorpraten. Toen hij me dit vertelde, hield hij onwillekeurig zijn handen tegen zijn oren. 'We konden haar horen roepen en de lampen aan het plafond gingen heen en weer.' Wanneer de 'huurbaas' weer was vertrokken, was hun moeder in een verschrikkelijk humeur en soms sloeg ze de jongens en schreeuwde ze tegen de baby dat hij moest ophouden met 'dat verrekte gejammer'. 'Eddie en ik probeerden haar aan het lachen te maken, maar mama had al heel lang niet meer gelachen.'

Toen ze vertrok wensten ze echter dat ze gewoon maar weer thuis zou komen; ze hadden honger en waren koud en de baby stonk vreselijk.

Eddie had een keukenstoel naar de muur gesleept en het bruine lichtknopje aangedaan, maar er gebeurde niets; hij bleef het knopje een paar minuten aan en uit doen, maar het bleef donker in de kamer. Derek hield niet van het donker en was heel erg bang, maar hij was blij dat de baby niet meer krijste; af en toe klonk er wat gekreun uit de kinderwagen. Derek legde een oude jas die aan een spijker aan de achterdeur hing over de baby heen. De radio was er al eeuwen geleden mee gestopt. 'Die rottige zes pence in de meter was op.' De melk had vreemd gesmaakt en er dreven kleine stukjes bovenop, maar het was het enige wat ze in de keuken konden vinden.

Eddie zei tegen Derek dat hij op de baby moest passen, want dat hij hun moeder ging zoeken. Derek werd doodsbang toen hij Eddie zag huilen. 'Ze had verdomme de deur achter zich op slot gedaan en Eddie kon niet naar buiten.' Er klonk woede in zijn stem en hij vloekte weer, terwijl hij verbitterd zei wat een 'wijf' zijn moeder was. 'We schreeuwden zo hard mogelijk, maar niemand kwam, en toen werd het donker,' ging hij verder. Ik huilde zachtjes, want ik kende de wanhoop van die kleine kinderen en ik voelde een woede tegen Dereks moeder die ik nooit voor mijn eigen moeder gevoeld had.

'Het eerste wat ik daarna weet is dat de ruit van buiten werd ingeslagen.' Derek had er geen idee van hoelang ze zo alleen waren geweest. De jongens waren te moe om op te staan van de bank. 'Iemand schreeuwde buiten dat de politie erbij gehaald moest worden, en de oude meneer Ellis, onze buurman, klom door het raam.'

Op dat moment wilde ik niets meer horen, maar alles stroomde er nu bij hem uit en ik wist dat hij moest praten; hij moest de geestelijke littekens genezen. Ik had mijn broertjes tenminste, en door samen met hen over de verschrikkingen van onze kinderjaren te praten en te lachen had ik als het ware vele uren mijn wonden schoon kunnen likken. Derek had nog nooit eerder met iemand over deze donkere periode gesproken en ik was een gewillig oor, niet in het minst omdat hij in het algemeen heel weinig zei. Op de een of andere manier voelde ik me bevoorrecht dat ik zijn vertrouwen genoot. Ik spoorde hem aan om verder te gaan.

'Opeens stond de kleine kamer vol met mensen. Grote, sterke mannen in uniform wikkelden ons in witte, zachte dekens met rode letters erop, tilden ons op en droegen ons, ondertussen kalmerende woordjes tegen ons zeggend, naar een ambulance.' KINDEREN DOOR HARTELOZE MOEDER IN DE STEEK GELATEN stond er met grote letters in een kop in de plaatselijke krant. Een politiewoordvoerder zei dat de jongens die in leeftijd varieerden van ongeveer achttien maanden tot vijf jaar op zijn minst drie dagen alleen in huis waren geweest. Ze stelden een onderzoek in naar de verblijfplaats van de moeder. 'Ze zeiden dat ze ervan uitgingen dat mijn vader in het buitenland voor zijn land aan het vechten was. De politie vroeg een bevel tot voorlopige bewaring aan en wij werden in die verdomde weeshuizen gedumpt.'

Mevrouw Robertson mocht Derek niet erg, ook al deed hij nog zo zijn best haar tevreden te stellen. Zij en meneer Robertson waren de 'huismoeder en -vader' in de Kirkham Cottage Homes in Preston. Derek herinnerde zich half dat hij ergens een paar broertjes had, maar wist het niet zeker. Hij wist wel dat hij een moeder had en wenste vaak dat zij terug zou komen en hem mee naar huis nemen. Heel veel jongens in het tehuis hadden geen vader of moeder – zij hadden 'eraan moeten geloven' in iets dat de oorlog heette, en als ze groot waren, zouden zij de 'Gerri's' wel krijgen, wie dat ook mochten zijn. Hij vroeg zich af of hij ook Gerri's zou kunnen krijgen. 'Ik wist niet wat "eraan moeten geloven" was en heimelijk hoopte ik dat mijn vader eraan had moeten geloven; het leek mij leuk als zoiets je overkwam.' Hij moest lachen om de kinderlijke herinnering.

Toen hij op een keer de vier brede traptreden voor het huis waar hij woonde stond te dweilen, merkte hij opeens dat een grotere jongen van het eind van het complex naar hem stond te kijken. Hij hield zijn ogen afgewend. Derek had gemerkt dat oogcontact hem in de problemen kon brengen.

'Hé, joh.' Hij keek op van de emmer smerig water en zag dat de jongen er op de een of andere manier bekend uitzag.

'Ben jij Derek?' vroeg de jongen.

Derek zei niets. Hij ging staan om de grotere jongen aan te kijken en stond zenuwachtig met de natte dweil in zijn handen te draaien.

De bijna elfjarige Eddie was in de vijf jaar dat hij in het enorme tehuiscomplex had gewoond een potige knul geworden. Iedere leeftijdsgroep was in groepen van twintig per woning verdeeld. Pas nu Eddie boven de tien jaar was had hij de vrijheid om over het complex rond te lopen en naar zijn kleine broertjes te zoeken. Hij was woedend toen hij Derek als een slaaf in de bittere novemberkou de betonnen stoep zag dweilen. Hij pakte de jongen bij de mouw van zijn trui en sleepte hem de paar honderd meter naar zijn huis bijna mee om met de vader te spreken.

'Hij gaat daar niet meer heen, en dat is definitief,' zei hij.

'We lopen weg als u hem dwingt.'

Meneer Barry keek naar het ernstige gezicht met de uitdrukking van een oude man en het ellendige kleine hoopje dat hij door de deur mee naar binnen had gesleept.

'Nu, jongen, hier ben ik degene die bevelen geeft.'

Derek werd in het woonhuis van de Barry's opgenomen. Hij ontdekte later dat Barry en andere personeelsleden de Robertsons hadden verdacht van wreedheden jegens de kinderen voor wie zij de zorg hadden, en hun bezorgdheid aan de plaatselijke autoriteiten hadden kenbaar gemaakt. Maar er was een oorlog aan de gang en het was moeilijk om aan personeel te komen. Als ze bewijzen hadden, zouden de autoriteiten echter wel handelend moeten optreden; maar dat was voor later. Nu moesten ze omgaan met een uiterst gecompliceerde situatie.

'Op een dag kregen we te horen dat we bezoek hadden. Dat was voor het eerst sinds we in het tehuis waren. Deze kleine, magere man vertelde ons dat hij onze vader was. 'De vrouw en ik halen jullie allemaal naar huis,' zei hij tegen ons. Ik was bang; thuis was een herinnering van lang geleden en ik herinnerde me alleen de slechte dingen die thuis waren gebeurd.

Het was 1952, tien jaar sinds hun moeder haar kleine zoontjes in de steek had gelaten. Ze werd nooit gevonden. Toen Eddie senior in 1947 afzwaaide, ontdekte hij geschokt dat niemand wist waar zijn gezin was. Het had hem een jaar gekost om te ontdekken dat zijn zoons in een weeshuis in Preston zaten. Hij besloot dat hij ze het beste kon laten zitten waar

ze waren tot hij zelf weer op de been was. Dat was moeilijker
dan hij had verwacht, want vier jaar in het Birmese oerwoud
hadden hem ziek en zwak achtergelaten. Een paar jaar na zijn
demobilisatie had hij Maggie, een weduwe, ontmoet en aangezien zij een zoontje had, besloten zij dat zijn jongens voorlopig moesten blijven waar ze waren. Hij was ook niet bij hen
op bezoek gegaan. 'Daar raken ze alleen maar van streek van,'
redeneerde hij, zichzelf verontschuldigend.

Toen Eddie opperde dat het tijd werd dat Maggies zoon zo
langzamerhand aan een baan ging denken en geld verdienen,
viel dit bij haar helemaal niet in goede aarde. 'Niks ervan.
Hij gaat een opleiding doen of je dat nou leuk vindt of niet,'
wierp ze hem toe. Zij suggereerde dat het tijd werd dat hij
zijn jongens uit het tehuis haalde. 'Jouw zoons zijn klaar
voor de fabriek als je extra geld wilt hebben.'

En zo besloten ze de jongens thuis naar Saddleworth te halen. Jonge Eddie, zoals hij ging heten, maakte zich zorgen.
Hij vermoedde, terecht, dat de plotselinge belangstelling van
zijn vader in zijn zoons als motief had om hen uit werken te
sturen, maar hij zou ermee instemmen tot hij er anders over
zou gaan denken. De jongens hadden door schade en schande ontdekt dat je in de eerste plaats voor je zelf moest zorgen
en uiteraard ook voor je broers.

'Ik zou achter Eddie aanlopen ongeacht wat hij ook zei,'
vertelde Derek me. 'Ik had nergens een mening over, maar
wist dat ik veilig zou zijn zolang ik maar bij Eddie bleef. Had
hij al deze tijd al niet voor me gezorgd? En had hij me niet
gered van de nachtmerrie die het woonhuis van de Robertsons was? Toen Jamie, de jongste, een paar jaar later ook in
het woonhuis van de Barry's was komen wonen hadden ze
hem samen onder hun hoede genomen.

De jongens hoorden de felle ruzie die volgde en een paar
weken later werd Jamie teruggestuurd naar het tehuis. Hij
was er klaarblijkelijk van beschuldigd dat hij zijn naam in

het nieuwe meubilair gekrast had; het was overduidelijk dat hij een jeugdige misdadiger zou worden.

In het huis van Dereks vader was Maggie de onbetwiste baas en wat haar betrof kwam haar zoon op nummer één, twee en het laatst. De oudste zoon van haar man begon bij het plaatselijke transportbedrijf als bijrijder en algauw werkte Derek in de fabriek. Maggie berekende dat deze twee extra lonen haar zoon de verdere opleiding zouden kunnen bezorgen die hij nodig had om zich van zijn toekomst zonder strubbelingen te verzekeren. De jongste zoon werkte op haar zenuwen. 'Ik ben niet opgewassen tegen de jongste,' zei ze tegen haar man, en stelde voor de jongen naar het tehuis terug te sturen tot hij wat ouder was. 'Het zal maar voor een paar jaar zijn, en hij kan in de weekenden naar huis komen,' praatte ze hem om.

'Ik had geen keus, jongens,' kregen Eddie en Derek van hun vader te horen. Eddie noemde hem een laffe schoft, pakte zijn koffers en verhuisde naar het huis van zijn baas verder buiten het dorp. 'Tegen ons zei dat hij het maar het beste vond dat Jamie terugging naar het tehuis,' zei Derek verbitterd tegen me. Een jaar later huilde zijn vader toen hij Derek ervan op de hoogte stelde dat Jamie door een echtpaar in Birmingham was geadopteerd. 'Ik haalde uit naar de ouwe en sloeg hem tegen de grond.'

Vanaf dat moment werd Derek een sombere, eenzelvige jongen; voortaan zou hij op niemand vertrouwen en hij besloot uit zijn vaders leven te gaan zodra hij zichzelf kon onderhouden. Van Jamie hoorden ze nooit meer iets.

De dag dat Derek zeventien werd ging hij bij het leger en had de pech dat hij precies op het juiste ogenblik kwam om naar Malakka te worden gestuurd. Er vond daar net een gewelddadige 'pacificatie' plaats: de oorspronkelijke bevolking eiste hun land van de Britten terug nadat ze hen bijna tweehonderd jaar lang enorme winsten hadden zien maken van de vele natuurlijke hulpbronnen waarover het land beschikte.

Derek raakte zwaar gewond: een lange machete maakte een diepe wond van meer dan twintig centimeter over zijn borst. 'De rooien lieten altijd kleine kinderen in het oerwoud vlak bij ons kamp achter, in de wetenschap dat we die daar niet gewoon zouden laten zitten. 's Nachts gingen ze ervandoor en brachten de smeerlappen naar ons toe.' Hij ging met zijn vingers over het lange, witte litteken dat over zijn behaarde, gespierde borst liep. Hij scheen niet boos op de Malakker die hem bijna gedood had. 'Het was oorlog,' zei hij simpelweg en haalde zijn schouders op.

Toen hij afzwaaide had het leger verder geen belangstelling meer voor hem. 'Ik heb zes jaar gediend, alleen om aan de ouwe te laten zien dat ik het kon. Hij zei altijd dat ik daar niet flink genoeg voor was.'

Derek was verloofd geweest met de dochter van de sergeant-majoor van zijn compagnie, maar hij betrapte haar met een andere soldaat. 'Verdomde sletten zijn het allemaal,' zei hij, bijna tegen zichzelf.

Nog lang nadat hij eindelijk in slaap was gevallen lag ik nog wakker. En ik nam me voor dat ik zou proberen hem nooit pijn te doen.

Toen Angela, mijn vriendinnetje uit mijn kinderjaren in Fatima Mansions, me het bericht stuurde dat oma was overleden, voelde ik machteloze woede en frustratie. Ik was net naar Ierland geweest en nog maar een paar dagen geleden thuisgekomen, terwijl oma op de dag dat ik in Ierland was aangekomen was gestorven. Ik was bij haar huis in Dùn Laoghaire langs geweest in de hoop dat ik daar de andere helft van onze familie, met inbegrip van mijn moeder, zou vinden. Opa was bij ons weggegaan en we hadden geen contact met andere familieleden. Dat bracht een zekere eenzaamheid teweeg, een isolement dat je niet gemakkelijk aan anderen kunt uitleggen. Iedereen heeft toch nichten, neven, ooms en tantes, oma's en opa's? Mijn broertjes en ik waren elkaars enige familie.

Maar mevrouw Sullivan, de moeder van Angela, vond ik wel.

'Nou, wat wil je?' Toen ik mezelf voorstelde klonk haar stem hard en stond haar gezicht onvriendelijk.

Ik was geschokt en van streek. 'Kent u me niet meer?' De tranen zaten hoog, maar ik kon ze nog inhouden toen ik uitlegde dat ik Dessie Doyles dochter was.

Opeens werd ik omarmd in een enorme omhelzing en ze begon te lachen. 'Nou, waarom blijf je daar op de stoep staan? Kom erin.' Ze sleepte me bijna haar huis binnen.

Er was niet veel veranderd; het huis was nog steeds vol met naar het leek tientallen kinderen. Ze legde uit dat ze vanwege mijn Engelse accent had gedacht dat ik een ex-schoondochter was die ervandoor was gegaan en een van haar zoons in de steek had gelaten. 'Dat kreng,' noemde ze haar en ik was blij dat ik niet die Evelyn was.

Ik bleef een paar dagen bij mevrouw Sullivan logeren en het was heel gezellig. Ze stond erop dat ik bleef, hoewel ruimte schaars was, en ik sliep samen met Angela en haar twee zussen in een groot bed, waar we als meisjes onder elkaar tot diep in de nacht hadden liggen kletsen en giechelen. Met heel veel tegenzin nam ik afscheid. Ik voelde dat zich een leegte in me vormde; wat had ik allemaal gemist doordat ik geen 'normaal' leven had gehad. Hier had ik een arm, maar heel gelukkig gezin – waar iedereen dicht op elkaar gepakt woonde – in actie gezien. Er was geen woede geweest in de kleine ergernissen die van tijd tot tijd opkwamen. Ik merkte dat er totaal geen spanning was en hoewel mijn aanwezigheid ongetwijfeld enige druk op de al krappe ruimte uitoefende, had ik bij niemand onderdrukte gevoelens van wrevel bespeurd. Mevrouw Sullivan had me naadloos in haar grote nest ingepast en behandelde me na een paar uur al als een dochter. Als ze zei: 'Hier jij! Dek eens even de tafel,' nam ik daar geen aanstoot aan of had het gevoel dat er ruzie zou komen als ik het niet goed deed; zo gingen gezinnen om met de dagelijkse gang van zaken en hier was het niet nodig om op eieren te lopen uit angst dat je iemand beledigde.

Ik begreep toen dat armoede geen hinderpaal hoefde te zijn om gelukkig te zijn. Toen de boot terugvoer naar Liverpool voelde ik een enorme droefheid en ook iets van boosheid jegens allebei mijn ouders omdat ze mijn broertjes en mij van een gelukkige kindertijd hadden beroofd.

Het kleine krantenknipseltje uit de *Ierse Independent* was mijn beste tip tot nog toe in mijn speurtocht naar mijn echte moeder. Ik schreef naar het adres in de overlijdensadvertentie en sloot een gesloten brief voor mijn echte moeder bij met het verzoek of die zo mogelijk aan haar doorgegeven kon worden. Ik had er niet veel hoop op. Niemand van haar kant van de familie, met uitzondering van oma, had contact met ons gehad sinds de dag dat ze was weggelopen. Hoe zouden ze iets over ons of onze verblijfplaats kunnen weten? Papa had besloten alle banden met mijn moeders kant van de familie door te snijden.

12

O, wat een kwellingen liggen besloten in de kleine cirkel van een trouwring!

Ik weet niet waarom het citaat me in gedachten kwam; het was alsof opa naast me stond.

Mijn huwelijksdag begon donker en onheilspellend. Ik wist dat ik een enorme vergissing maakte. Maar ik was zelf degene geweest die erop had gestaan dat we gingen trouwen. De schaamte van het samen hokken was meer dan ik me wilde laten welgevallen. Onze relatie was er in sommige opzichten wel op vooruitgegaan. Sinds de dag dat ik Jessie naar huis had gebracht, had ik een gelijker aandeel in de relatie willen hebben en zoals de meeste vrouwen al vroeg in dezelfde situatie ontdekken, merkte ik algauw dat ik precies kreeg wat ik wilde als ik 'het' niet toestond. Ik wilde vriendinnen en een enkele keer een avond uit. Ik wilde ook buiten de deur gaan werken. Ik begon een opleiding in de zwakzinnigenverpleging ook al was mijn salaris letterlijk de helft van wat ik op de bus verdiende; maar het was wat ik wilde en ik begon eraan zonder het aan Derek te vragen of het met hem te bespreken.

Nu zat ik met al mijn bruiloftsgasten – mijn broer John en zijn vriend Chris – naast Derek in de taxi op weg naar het bureau van de burgerlijke stand te huilen. John vroeg me of ik soms van gedachten wilde veranderen. 'Het is niet te laat, weet je,' zei hij vriendelijk tegen me, en gaf me een klopje op mijn arm. Derek kon het totaal niets schelen of we al dan niet getrouwd waren en zei dat ik niet zo'n 'stom wijf' moest zijn. Natuurlijk wilde ik van gedachten veranderen.

Ik had dwaze, romantische ideeën gekoesterd over hoe mijn ideale trouwdag eruit zou zien: papa die me over het gangpad begeleidde naar een knappe jongeman op wie ik waanzinnig verliefd was. Ik zou een prachtige witte bruidsjapon dragen met een meterslange sleep en al mijn broers zouden er zijn en vol trots toekijken; mijn echte moeder zou zachtjes in haar kanten zakdoekje zitten huilen. Maar hier zat ik, in een oude taxi met een jas aan waarin ik naar mijn werk was geweest en met anjers van crêpepapier die John had meegenomen om de gelegenheid nog een enigszins feestelijk tintje te geven.

De ceremonie zelf was snel en plichtmatig. Er zaten in de wachtkamer drie andere bruidsparen die na ons kwamen. De tranen liepen me over de wangen toen de vrouwelijke ambtenaar van de burgerlijke stand vroeg: 'Neemt u deze man, Derek Stone, als uw wettige echtgenoot?' Ik was nauwelijks in staat om te antwoorden en haar kordate, zakelijke stem klonk bezorgd toen ze vroeg: 'Is alles goed, kindlief? Je wordt hier toch niet toe gedwongen, hè?'

Ik schudde van nee en bijna voordat ik het wist was ik een getrouwde vrouw. Ik hield mijn hoofd gebogen toen we langs de wachtende bruidsparen met hun gasten naar buiten liepen, de straat op.

Een paar dagen later, toen ik de paar foto's kreeg die we, op aandringen van mijn broer, hadden genomen achter het bureau van de burgerlijke stand, zag ik met ontzetting dat ik onder een bord op de muur achter me had gestaan waarop stond: OPENBARE TOILETTEN en een handje dat met de wijsvinger naar een plek voorbij mijn linkerschouder wees. Ik verbrandde de foto's.

Wat was het dat doodsangst bracht als er op de deur werd geklopt en er een telegram werd bezorgd? Mijn generatie groeide tenslotte na de oorlog op en had geen werkelijke reden om bang te zijn voor slecht nieuws. Maar met een hart dat in mijn keel klopte zette ik beverig mijn handtekening voor de kleine, bruine envelop. Ik zocht in mijn tas naar wat kleingeld voor de bezorger, want ik kon niet wachten tot hij weg was. 'Bel onderstaand nummer na zes uur 's avonds. Nieuws van uw moeder,' stond erin. Ik moest nog vier uur wachten.

Minnie Lally, een oude zwerfster met wie ik een paar maanden ervoor vriendschap had gesloten, kwam langs. Ik vertelde haar opgewonden dat ik na al die jaren mijn echte moeder had gevonden en dat ze me verschrikkelijk graag wilde zien. Dat was uiteraard lichtelijk overdreven, aangezien ik geen idee had of dat zo was – of zelfs wie het telegram had gestuurd. Minnie zat ernstig te luisteren terwijl ik maar door klepte. Toen ik de theekopjes oppakte in de hoop dat Minnie de hint om te vertrekken begreep, zei ze: 'Verwacht niet te veel, meid. Denk niet dat het nu rozengeur en maneschijn is.'

Ik wuifde haar opmerkingen weg. Hoe kon zij in 's hemelsnaam weten hoe het was om je moeder te vinden als je haar bijna heel je leven niet bij je had gehad? De arme Minnie had niemand op de wereld. Zij wilde ook niemand en, hoe naïef ik ook was, ik wist dat zij me alleen gebruikte om een enkele keer onderdak te hebben en af en toe wat geld te krijgen voor een pakje sigaretten. Het kon me niet schelen; ik was blij dat ik iets voor haar kon betekenen als ze me nodig had. Soms zag ik haar in geen maanden en vroeg me af of ze misschien dood was; dan kwam ze opeens uit het niets te voorschijn en ging verder waar ze was opgehouden.

De stem was onmiddellijk herkenbaar.

'Bent u het, mama?' Het kostte me geen enkele moeite om 'mama' te zeggen. De jaren schenen weg te vallen; mijn echte moeder was aan het andere eind van de lijn en ik was weer zeven jaar. Het was maar een kort gesprek. Ik vond het onplezierig dat ze niet werkelijk bij me was. Alle jaren van verlangen naar mijn echte moeder waren eindelijk voorbij. Het enige dat ik kon doen was huilen van opluchting, genezende tranen die balsem voor mijn ziel waren en mijn hart verlichtten; nu zou ik weer één geheel worden.

We maakten een afspraak om elkaar te ontmoeten en de weken voor onze hereniging kropen voorbij. Ik veranderde mijn vakantie zodat ik haar kon bezoeken. Ik dacht alleen maar aan haar. Ik stelde me de gesprekken voor die we zouden hebben. Zelfs al voor ik het telegram had gekregen was ik tot de slotsom gekomen dat ze misschien goede reden had gehad om al die jaren geleden bij papa weg te lopen. Ik herinnerde me de ruzies en het geschreeuw bij ons thuis in mijn vroege kinderjaren, maar alle buurvrouwen in de flat schenen met hun man te kijven en te vechten; wij waren toch gewoon net als ieder ander? Alleen herinnerde ik me wel dat ik altijd papa's kant koos. Ik dacht met warmte terug aan de gelukkige ogenblikken dat ik met mijn moeder door Cork Street naar de Vincent De Paul gaarkeuken liep, waar ze demonstratief weigerde om weer de bloedworst te eten die altijd op het menu scheen te staan; aan de tijden dat ze wat kleingeld over had en we onderweg naar huis bij een banketbakker langsgingen voor een Weense snijder en krentensneetjes met een dikke laag wit suikerglazuur. Ik kan nog steeds de ziltige zeelucht ruiken die ons tegemoetkwam als we uit de tram stapten wanneer we bij oma op bezoek gingen. In haar prachtige huis hing de geur van lavendelboenwas en zelfs nu nog brengt de geur van verse appels me onmiddellijk haar grote, lichte keuken in gedachten. Die momenten waren er niet veel en ik koesterde ze als een schat.

Ik weet niet precies wat ik van mijn echte moeder verwachtte toen ik naar Schotland reisde om haar voor het eerst te ontmoeten. Toen ze me aan haar andere vier kinderen voorstelde als 'iemand op wie ik paste toen haar mammie in het ziekenhuis lag' hield ik mijn mond. Maar ik voelde me geschokt en gekwetst: waarom ontkende ze dat ik haar dochter was? Later vertelde ze me dat ze geen tijd had gehad om hun over mij en mijn broertjes te vertellen en dat ze niet naar ons was komen zoeken omdat ze bang was papa te ontmoeten. Op een afstandelijke manier was ze meelevend toen ik haar over ons gezinsleven vertelde na de tijd dat we uit de tehuizen waren weggehaald. Verbazingwekkend was dat ze niet eens vroeg of het op de huishoud- en nijverheidsschool moeilijk was geweest of dat ik zonder mijn broertjes eenzaam was geweest. Het hart zonk me in de schoenen toen ik besefte dat ik er misschien verkeerd aan had gedaan haar op te zoeken. De fantasiemoeder die ik in gedachten had gevormd was volkomen anders dan deze werkelijkheid. Toen Derek en ik erover praatten, besloot ik dat er misschien meer tijd nodig was om de band die verbroken was toen ze bij ons was weggelopen te herstellen.

Derek en ik verhuisden naar Glasgow om in de buurt te zijn van mijn pas gevonden familie en na korte tijd kwamen ook mijn broers daar een voor een heen. Kevin en Dermot trokken bij mijn moeder in, tot alleen Maurice nog bij papa en Jessie woonde. Papa gaf mij de schuld ervan dat zijn gezin nu gedecimeerd was. Het kwam niet bij hem op dat de jongens het onmogelijk vonden om in een huis te blijven waar vrolijkheid en gelach zeldzaamheden waren.

Algauw ontdekte ik dat mijn moeder de onbetwiste baas van haar gezin was. Binnen korte tijd werd me duidelijk dat mijn moeder mijn broertjes en mij niet als haar familie beschouwde; wij behoorden tot het verleden en het leek wel of ze ons daar zou hebben gelaten als zij de keus had gehad. Kevin en Dermot werkten echter allebei en droegen een aanzienlijk deel van hun loon aan haar huishouden bij. Dermot vertelde me later dat zij van zijn loon van zeven pond zes pond afhield en dan tegen hem zei: 'Ja, je moet wat voor je moeder over hebben.' Geconditioneerd om zonder vragen te gehoorzamen, gaf hij haar zijn loonzakje.

Ik begon een intense hekel aan mijn moeder te krijgen, hoewel ik wel van mijn halfbroertjes en -zusjes ging houden. Derek kon goed met hen overweg. Ik denk dat hij het gevoel had dat hij nu eindelijk deel van een echte familie uitmaakte. Met Gerry, de neef van mijn vader en de man met wie mijn moeder was weggelopen, kon ik heel goed overweg en ik voelde me volkomen op mijn gemak in zijn gezelschap. Hoewel hij sprekend op mijn vader leek, alleen minder groot was, straalde hij een heel andere persoonlijkheid uit. Hij was rustig en vriendelijk, sprak zacht en weloverwogen en lachte veel. Zijn vader, mijn oudoom Stephen, was een bijzonder aardige oude heer, die als een zich verontschuldigende geest door het huis liep en voor iedereen bang scheen te zijn. Mijn moeder behandelde hem als een bediende. Ze sprak zeer geringschattend over hem, en tegen hem als 'meneer Talbot', en hij bleef zoveel mogelijk op zijn kamer. Dit ergerde mij en ik nodigde hem vaak bij mij thuis uit voor het middagmaal en een flesje bier. Bier was een traktatie die mijn moeder absoluut verboden had.

'Weet je zeker dat ze het niet aan mijn adem zal ruiken?' vroeg hij altijd zenuwachtig als ik hem naar de bus terug naar huis bracht waar hij het avondmaal voor haar gezin moest klaarmaken.

'Alleen als u van plan bent haar een kus te geven,' maakte ik een grapje.

Dan lachte hij en trok een gezicht, daarmee aangevend dat dát nooit zou gebeuren. Uiteindelijk haalde ik hem over om bij zijn dochter in Manchester te gaan wonen.

Naarmate de weken verstreken merkte ik dat Dermot het niet zo naar zijn zin had als ik had verwacht, in aanmerking genomen dat hij nu deel uitmaakte van een 'gelukkig gezin'. Hij was stil en op zijn hoede, wat in sterke tegenstelling stond met de luidruchtige onstuimigheid van de andere vier kinderen in het gezin. Toen ik hem ernaar vroeg verzekerde hij me dat alles in orde was. 'Je moet het me zeggen als je je ongelukkig voelt, hoor,' zei ik hem steeds wanneer ik hem zag.

Mijn bezoeken aan het huis van mijn echte moeder werden minder veelvuldig. Ze scheen niet langer mijn 'mammie' meer; ze was in beslag genomen door haar tweede gezin en ik voelde me een vreemde, een indringster. We deden met z'n tweeën geen moeder en dochterdingen, zoals 's zaterdags gaan winkelen of ergens samen een kopje koffie gaan drinken. Zij praatte niet over haar familie in Ierland, mijn tantes, ooms en neven en nichten, of haalde herinneringen over vroeger op. Wel waren er altijd verhalen over haar vier kinderen, maar nooit over mijn broertjes en mij. Het was net alsof we in haar vroegere leven helemaal niet bestaan hadden. De muren en kasten van haar huis hingen en stonden vol foto's van haar vier kinderen, maar van ons had ze geen enkele foto. Het was niet alsof ze helemaal geen foto's van ons had kunnen krijgen voor ze ons in Fatima Mansions in de steek liet, want fotograferen was papa's hobby en hij had letterlijk honderden foto's waaruit ze had kunnen kiezen.

'Ik ben weggelopen.' Dermot stond voor de deur van mijn huurappartement aan de andere kant van Glasgow dan waar mijn moeder woonde. Het was zes maanden geleden sinds hij bij papa was weggegaan en voor een beter leven naar Schotland was gekomen. Jessie had een hekel aan Dermot en had het leven voor hem zo moeilijk gemaakt toen ik het huis uit was gegaan dat de jongen zich op een goede dag niet meer had kunnen beheersen en haar ruw tegen de muur in de keuken had geduwd. Gelukkig had papa haar niet geloofd en ontsnapte Dermot aan de aframmeling die hij al had verwacht. Evenals ik kon het hem al bijna niet meer schelen wat er met hem gebeurde, maar toen hij de kans kreeg om te ontsnappen greep hij die met beide handen aan. Ik had hem ervan overtuigd dat alles anders zou worden als zijn eigen moeder maar eenmaal voor hem zorgde.

Nu was ik laaiend dat mijn jongste broertje zo wanhopig was dat hij opnieuw was weggelopen. Waarom had zijn vader geen compassie met zijn jongste zoon die al in een tehuis zat toen hij nog maar een baby was? Hoe kon Jessie, of welke vrouw dan ook, een bijna ziekelijke haat koesteren jegens een kind dat zo klein en hulpeloos was, maar dat haar ten koste van alles tevreden wil stellen? Wat was het met deze jongen dat hij nu weer door zijn moeder werd afgewezen? Niemand zou hem nog eens pijn doen, besloot ik.

'Ik wil u nooit meer zien,' zei ik tegen mijn moeder tijdens de verhitte ruzie die we hadden toen ik Dermots eigendommen ging ophalen. Ik liet haar achter terwijl ze, naar mijn mening, dikke krokodillentranen zat te huilen.

De laatste keer dat ik mijn moeder zag was een maand of vier, vijf later, op de avond voor Kerstmis in 1967. Nadien heb ik haar nooit meer gezien.

Ik treurde niet om het verlies van mijn moeder. Ik had haar veertien jaar geleden verloren toen ik haar op de bus zag stappen en, met het instinct en inzicht van een kind, had geweten dat ze nooit meer terugkwam. Misschien had ik haar te hoog op een voetstuk geplaatst. Ik verwachtte waarschijnlijk te veel van de hernieuwde relatie. Op welk moment was de band verbroken? Was het de dag dat ze uit Fatima Mansions was vertrokken? Was het de dag dat ze, ondanks mijn smeekbeden om niet weg te gaan, bij me wegging toen ze me in het klooster opzocht? Kon het zijn geweest toen ze me als 'iemand' aan haar nieuwe gezin voorstelde? Ik heb nooit precies kunnen ontdekken wanneer ik haar werkelijk heb verloren. Ik besloot dat er niets anders op zat dan verder te gaan met mijn eigen leven. Miljoenen mensen redden het uitstekend zonder een moeder; nu was ik een van hen.

13

George was een collega van Derek in de machinefabriek in Glasgow. Derek vond het nog steeds niet prettig me ergens mee naartoe te nemen waar we misschien met andere mensen moesten omgaan, maar George had hem zover gekregen dat ik met hem mee mocht naar het jaarlijkse dansfeest van de fabriek. In de weken vóór de dansavond was ik een en al opwinding: dit zou mijn eerste grote evenement zijn. Ik slaagde erin voor twee pond een prachtige lange, roze satijnen jurk op de plaatselijke markt te kopen. Hij hing op een hangertje aan mijn slaapkamerdeur, en als ik ernaar keek stelde ik me de heerlijke momenten voor die ik korte tijd in mijn doodgewone, eentonige leventje zou hebben – het soort leven van miljoenen andere vrouwen: goochelen met werk buitenshuis en het huishouden, proberen het tot vrijdag met het geld te redden, met af en toe een avondje naar de bioscoop.

Ik werd tot over mijn oren verliefd. Ik herkende het onmiddellijk. George vroeg me ten dans. Ik had het gevoel of zijn ogen dwars door me heen gingen.

'Je ziet er heel leuk uit,' zei hij tegen me.

Ik was een en al verlegenheid en werd rood tot op mijn haarwortels, maar ik kon mijn ogen niet van zijn gezicht af houden. Ik wilde dat deze dans een eeuwigheid zou duren. Ik wist dat ik hem, als de muziek stopte, nooit meer terug zou zien. Hij was niet de knapste man die ik ooit had ontmoet, maar er was een openheid in zijn gezicht die hem heel aantrekkelijk maakte.

'Ben je gelukkig met Derek? Is hij goed voor je?'

Ik slikte de brok in mijn keel weg. Ik wilde hem zeggen dat nee, dat ik niet gelukkig was – wat was gelukkig trouwens? Ik wilde hem zeggen dat ik jong en vrolijk wilde zijn zoals ik me op dat moment voelde. Hoe kon ik hem vertellen dat ik grif samen met hem de deur uit zou zijn gelopen? Ik had hem nog geen drie uur geleden ontmoet, maar vanaf het moment dat hij me een hand gaf toen Derek ons aan elkaar voorstelde had ik het gevoel alsof ik hem heel mijn leven had gekend.

'Natuurlijk ben ik gelukkig,' loog ik voor de tweede keer toen hij het me vroeg.

George vulde heel mijn wezen. Ik sliep niet, maar voelde me nooit moe. Mijn eetlust verdween en in de dagen die volgden dacht ik elk ogenblik dat ik wakker was aan hem. Een aantal keren moest ik zonder duidelijke reden huilen. Gelukkig scheen Derek het niet te merken en toen hij me vertelde dat hij George voor een maaltijd had uitgenodigd stond hij perplex toen ik hem vertelde dat hij George onder geen voorwaarde naar ons appartement mee mocht nemen.

'Wat heeft hij je gedaan?' Ik zei tegen hem dat hij niet zo stom moest doen – ik mocht hem gewoon niet. Daar scheen Derek tevreden mee. Natuurlijk wilde ik George zien, maar ik wist niet of ik hem wel kon weerstaan. Ik wist dat hij dezelfde gevoelens voor mij had toen we de avond na het dansfeest afscheid van elkaar namen en ik in zijn ogen keek. Je kon de verleiding maar beter verre houden. Ik kon het niet over mijn hart krijgen Derek te kwetsen.

Derek kreeg een heel goede baan in een distilleerderij op het eiland Islay, een van de Hebriden. Toen ik de veerboot uit het Loch Tarbert zag wegvaren, stroomden de tranen over mijn wangen. Hij ging me alvast voor tot ik over zes weken ook kon komen. Het afscheid maakte me duidelijk dat ik van hem hield, maar op een andere manier dan de alles-doordringende gevoelens die ik voor George had.

Derek klampte zich aan me vast en huilde toen we elkaar gedag zeiden.

'Je komt toch ook hierheen, hè?' Het was bijna een smeekbede. Hij hield van me en had mij veel meer nodig dan ik hem. Ik had zielsmedelijden met hem; wekenlang was ik kattig en slechtgehumeurd tegen hem geweest en hoewel ik nooit van plan was geweest bij hem weg te gaan, moet het voor hem hebben geleken dat ik hem op zijn best slechts verdroeg. Ik duwde George weg; ik zou wel over hem heen komen. Dat gebeurde ook, maar het kostte me vele jaren.

'Natuurlijk kom ik naar je toe,' zei ik tegen hem terwijl ik zijn revers gladstreek en zijn stropdas rechttrok. Ik kuste hem lichtjes op zijn wang en gaf hem een zacht duwtje in de richting van de veerboot. Ik keek het schip na tot dat in de mist op de Sound of Islay verdween.

Ik had mijn schepen achter me verbrand. Ik hield van mijn werk en genoot met name van het gevoel dat ik, een onopgeleid fabrieksmeisje, iets gepresteerd had. Maar ik kon nu niet meer terug, besefte ik, toen ik in het kantoor van de directrice stond om haar te vertellen dat ik over vier weken weg zou gaan.

In eerste instantie had ik gedacht dat de houding van de verpleegsters ten opzichte van de patiënten kil en zakelijk was. Toen ik nog maar een paar weken met mijn opleiding bezig was, sloeg ik twee ouderejaars verpleegsters gade die de laatste film bespraken terwijl ze een patiënt aflegden die nog maar enkele minuten daarvoor was overleden. Ik was ontzet over hun ogenschijnlijke gebrek aan respect voor de dode vrouw. Maar ik besefte snel dat het onmogelijk is te veel bij het werk betrokken te raken als je je werk goed wilt doen en alle patiënten de beste verzorging geven.

'Hun familie rouwt om de dode, zuster,' bracht de stafver-pleegster me op de hoogte. Er waren uitzonderingen op de regel, vooral in een ziekenhuis waar de patiënten lang ver-bleven zoals in het psychiatrische ziekenhuis waar ik werkte. Ik raakte heel erg gesteld op enkele oude dames op mijn af-deling. Veel van onze oude dames kregen het hele jaar geen bezoek. Ik neem het de familie helemaal niet zo erg kwalijk – ze zullen ongetwijfeld gedacht hebben dat het geen zin had wanneer de liefdevolle moeder die ze ooit hadden hen nu niet eens meer herkende, of vuile taal uitsloeg of gewelddadig was geworden. We hadden ook patiënten die niet 'ziek' waren in de ware betekenis van het woord, maar al jaren geleden door echtgenoten waren opgesloten toen een echtgenoot alleen maar tegen de dokter hoefde te zeggen dat zijn vrouw 'knet-tergek' was om haar opgenomen te krijgen.

Een van mijn patiënten in de gesloten afdeling, Agnes Mon-roe, was door haar oude, dominerende moeder emotioneel onder zware druk gezet om haar droom – trouwen met de enige man van wie ze ooit had gehouden – op te geven. Ze had hem laat in het leven ontmoet, net toen ze alle hoop ooit nog liefde te vinden had opgegeven. Naarmate de moeizame jaren verstreken, werd haar moeder, toen ze zwakker werd en het bed moest houden, steeds veeleisender. Op een avond knapte er iets bij Agnes en sloeg ze haar moeder met een bijl op het hoofd, en legde haar op die manier voorgoed het zwij-gen op. De rechtbank oordeelde dat ze krankzinnig was en ongeschikt om zich te verdedigen. De uitspraak was dat ze in een gesloten psychiatrische inrichting diende te worden op-gesloten. 'Zuster, denkt u dat ze in Australië hadden geweten wat ik heb gedaan, als ik daar naartoe was gegaan?' vroeg ze wel honderd keer op een dag, ondertussen voortdurend heen en weer benend. Voor haar was niet het feit dat ze haar moe-der had vermoord de oorzaak van haar schande, nee, het feit dat mensen ervan af wisten.

Een andere patiënte was de moeder van een grote televisie-ster van die tijd en ik kwam met hem in conflict.

'Het spijt me, meneer, maar u zult moeten wachten tot de dames klaar zijn met hun middageten,' zei ik tegen hem toen hij erop stond dat ik hem binnenliet om zijn moeder te bezoeken, die al een aanzienlijke tijd aan seniele dementie leed.

Zichzelf opblazend tot zijn volle lengte van ongeveer één meter zestig bulderde hij: 'Weet u wel wie ik ben?'

Ik probeerde me goed te houden toen ik op hem neerkeek, en zei dat het me niet kon schelen, al was hij Jezus Christus zelf – maar hij zou moeten wachten tot de lunch voorbij was.

De hoofdverpleegster probeerde boos te zijn, maar haar ogen schitterden toen ze me een standje gaf: 'Werkelijk, zuster Stones, de naam des Heren ijdel gebruiken is volkomen onaanvaardbaar.' Ik maakte een oppervlakkig buiginkje en liep snel haar kantoor uit; ik hoorde haar hoesten toen ik de deur achter me dichtdeed.

Op de maandagen genoot ik van de geur van de mooie blauwe uniformjaponnen en heel stijf gesteven schorten en kraagjes die we met kleine koperen knoopjes vastmaakten. Dan 'ruisten' we naar onze afdelingen toe. Met Kerstmis paradeerden de meesten van ons met brandende kaarsen in de hand met onze capes met de rode kant buiten om de schouders door de gangen heen en zongen kerstliederen; mijn ogen werden vochtig wanneer sommige dames onderkenden dat het Kerstmis was. Het was verschrikkelijk hard werken voor erbarmelijk lage salarissen, maar de meesten van ons vonden het dankbaar werk. Velen van ons gingen naar een rustig hoekje om een traantje weg te pinken als een dametje dat je graag mocht overleed, of wanneer we assisteerden terwijl patiënten werden onderworpen aan ECT of elektroshocktherapie, wat ik als de meest barbaarse behandeling beschouwde. Hun arme lichamen schokten dan heftig en patiënten hadden nog dagenlang daarna barstende hoofdpijn; ik wilde dat ik wist of het werkte.

Sommige verpleegsters waren even gek als de patiënten. Bij één oudere verpleegster was kleptomanie vastgesteld en de zuster die de supervisie had over de zusterhuizen haalde stapels lakens en slopen uit haar kamer weg. Wij kregen de verzekering dat ze nooit onze persoonlijke eigendommen zou aanraken en dat deed ze ook niet. Een ander had tijdens haar dienst voortdurend een kussensloop over haar arm; ze deed niet echt iets dat iemand van de andere verpleegsters kon zien, maar haar amusementswaarde was onbetaalbaar. Op een dag zei een erg vermoeide arts dat ze zijn pieper moest beantwoorden en tot zijn opperste verbazing, en die van ons, pakte ze zijn revers beet en schreeuwde erin: 'Hallo, de dokter heeft het nu een beetje druk. Bel later nog maar eens.' Ik aarzel om te zeggen dat ze Ierse was. Maar dat was ze.

Nu wenste de directrice me het allerbeste toe en ze hoopte dat ik verder zou gaan met wat zij een uiterst veelbelovende carrière noemde.

Het was eind mei 1969 toen ik opnieuw aan boord van een veerboot een nieuw leven tegemoet voer. Ik stond op het dek voor de twee uur durende tocht over de baai en genoot van de pracht van de eilanden die als juwelen op de ongewoon kalme zee lagen, en ademde de schone, zilte lucht in. Ik was weg uit de gore, grauwe stad met zijn sombere, hoge huurflats die zwijgend de wacht hielden en alle zonneschijn blokkeerden die het waagde door te dringen tot smalle, grijze straten waar niets groens groeide.

Het mooie haventje van Port Askaig kwam in zicht. Fel gekleurde vissersboten dansten en botsten tegen elkaar op de kabbelende golven die op het strand spoelden. Aan de voet van een rotsachtige klif waarover een smalle, kronkelende weg naar de rest van het eiland voerde, stond dicht op elkaar een rij witgekalkte huisjes. Een groepje mensen sloeg de veerboot gade die de haven binnenliep, maar ze wachtten niet op iemand in het bijzonder: ze keken alleen naar het komen en gaan van de boten.

Ik keek eens om me heen. Daar zag ik Derek, in de verte starend en nonchalant een sigaret rokend, tegen een oude, rode Mini geleund staan. In de zes weken sinds ik hem had uitgezwaaid had het me moeite gekost me zijn gezicht voor de geest te halen. Ogenschijnlijk stond ook hij niet op iemand in het bijzonder te wachten. Er hing een stilte, een soort gereserveerdheid om hem heen die het niet toeliet zijn privacy binnen te dringen. Terwijl de bemanning en het havenpersoneel de grote, rood met witte veerboot aanlegden, stond ik vanaf mijn plekje aan dek naar hem te kijken. Hij was wat magerder geworden en had een bruin kleurtje gekregen. Wat zag hij er knap uit; ik voelde me trots dat hij op mij stond te wachten. Niet één keer keek hij naar de veerboot die nu tegen de kade lag; hij tuurde vastberaden voor zich uit naar de Paps of Jura, de drie bergen op het eiland Jura, en negeerde het drukke gedoe om zich heen.

Een terloopse toeschouwer had wellicht kunnen denken dat ik door een broer of collega werd afgehaald. Geen van beiden holden we op elkaar af.

'Daar ben je dan,' zei hij nonchalant, bij wijze van groet. Terwijl we langs de kronkelende eenbaansweg naar het dorp reden dat mijn nieuwe woonplaats zou worden, gaf hij nors en hoogdravend antwoord op mijn vele vragen. Hij leek net een vreemde die toevallig ook mijn kant op ging en me een lift had gegeven.

Ik gaf mijn pogingen hem aan het praten te krijgen voor het ogenblik op en concentreerde me op het woeste, onherbergzame landschap waar we doorheen reden. De weg kronkelde door met heide bedekte veengrond naar de verre kustlijn van het noordoosten van dit eiland dat bekendstond als de Koningin der Hebriden. Kleine, witgekalkte boerderijtjes stonden hier en daar verspreid en vrolijkten de bruine een-

147

tonigheid van de hei op. Ten slotte gingen we met een scherpe bocht een steile helling af en daar zag ik het dorp voor me uitgespreid liggen.

Bunnahabhain, of, zoals Derek het juist uitsprak als 'Bonahavan', was één van acht eersteklas mouterijen op dit kleine eiland. Het merendeel was begonnen als illegale stokerijen die door slimme onderpachters werden gerund om hun povere inkomen aan te vullen; Bunnahabhain bestond zo'n honderd jaar en werd nu gerund door een groot bedrijf dat op het vasteland gevestigd was.

De paar dorpelingen die buiten waren tuurden in de auto; sommigen zwaaiden naar ons. Ik glimlachte en zwaaide terug. Derek zei: 'Nieuwsgierige klootzakken!' Hij zette de auto neer voor een keurig huis aan het eind van een straat, nog geen dertig meter van het strand vandaan waar je over de Sound of Islay uitkeek naar het geheimzinnige, dreigende eiland Jura. Ik zou van dit huwelijk een succes maken, ook al zou het mijn dood worden, nam ik me voor. Ik voelde me thuis; er was frisse lucht en het palet van mijn wereld was nu het diepe bruin en paars van de heidevelden, het goud van spectaculaire zonsondergangen en alle tinten tussen grijs en blauw van de zee en de lucht, afhankelijk van het feit of moeder natuur boos was of niet. Nog steeds was er niets groens, althans niet veel, maar ik was blij hier te zijn; het was een mooie plek.

Het duurde even voor ik 'meedeed' met het zachte, zangerige accent van de eilandbewoners, van wie de meeste oude mensen bij voorkeur Gaelic spraken. Maar aangezien hun voorouders Ieren waren, zou ik vast en zeker snel de slag te pakken krijgen. Daar zat ik echter helemaal naast.

Deze mensen beschouwden de bewoners van het vasteland als mensen van een andere planeet. Natuurlijk was het eiland zwaar protestant, maar er was ook nog een andere religieuze groepering. Dat waren de Vrijgemaakte Presbyterianen, die hun geloof strikt op de Heilige Schrift baseerden. Sommige

aartsconservatieven hielden de sabbat letterlijk alleen voor
het gebed. Niemand, en ik had dit niet gezien, hing op zondag wasgoed aan de lijn.

'Je bent een smerige Ierse viespeuk,' zei een dikke, jonge
vrouw met een rood gezicht tegen mij toen ik een maand of
drie nadat ik was gearriveerd op een ochtend mijn stoepje
stond te vegen. 'Waarom ga je niet terug naar waar je thuis-
hoort?' En ze draaide zich met een ruk om, mij in totale verwarring achterlatend over de vraag waarmee ik haar beledigd had. Hoewel ze behoorlijk wat venijn in haar woorden
had gelegd, glimlachte ik toen ik haar langs de opslagloods
zag weg waggelen. Haar bedoeling me boos te maken was
vergeefs geweest doordat de lelijke woorden in haar zachte,
brouwende accent muzikaal en lyrisch hadden geklonken. De
oude Annie McLean die twee deuren verder woonde, zei me
dat de plaatselijke bevolking haar nog steeds als 'buitenstaander' beschouwde, hoewel ze al meer dan dertig jaar in
het dorp woonde. 'En jij hebt geen enkele kans, meisje.' Aangezien ik uit de stad kwam, was ik kennelijk te mondain voor
hun eenvoudige manier van leven. 'En ze weten dat je katholiek moet zijn omdat je 's zondags de was buiten hangt,' zei
ze met een knipoog naar me. Ik mocht Annie en Margaret,
een andere 'buitenstaander', graag. Geleidelijk aan schenen
de jongere vrouwen in het dorp mij te accepteren, hoewel ik
het grappig vond dat ze bijna nooit mijn voornaam gebruikten – het was altijd 'mevrouw Stones'; maar ik werd nooit
uitgenodigd om deel te nemen aan dorpsactiviteiten, behalve
als ze geen keus of excuus hadden om me niet uit te nodigen.

Het kon me allemaal niet schelen; ik werkte aan een gelukkig huwelijk met Derek. Mijn broers kwamen regelmatig
op bezoek. Ik ging werken in het plattelandsziekenhuisje en
we gingen naar een aantal ceilidhs in Bowmore, de belangrijkste stad. Op die muziek- en dansavonden leerde ik volks-
dansen. Ik dacht dat mijn leven compleet was. Hoewel Derek

en ik ook moeilijke momenten kenden waarin ik spijt had van mijn besluit om hem naar het eiland te volgen, was ik over het algemeen redelijk gelukkig. Dat wil zeggen: tot er iets meer dan een jaar later een door tranen gevlekte brief kwam. 'Lieve Ebbs...' stond er boven. Ik stond in tweestrijd of ik hem zou lezen of meteen zou verbranden. Iedere keer dat papa weer in mijn leven kwam werd het volkomen ontwricht. Hij was er in geslaagd om, de een na de ander, met al zijn kinderen in onmin te geraken en instinctief wist ik dat hij iets wilde; hij schreef meestal niet om te vragen hoe het met ons ging. 'Ik vroeg me af hoe het met je ging en was van plan een paar dagen naar je toe te komen,' ging zijn brief verder. Ik wist dat ik niet verder had moeten lezen, maar met een lemmingachtige onverantwoordelijkheid las ik verder. 'Het zal maar voor een paar dagen zijn; Jessie en ik willen naar Schotland op vakantie gaan.' Hij had 'maar' en 'paar' onderstreept, dus waarom maakte ik me zorgen? Omdat een klein stemmetje in mijn hoofd zei: 'Hij is ergens op uit!'

Ik was dagen aan het boenen en schrobben; dit zou de eerste keer zijn dat mijn vader mijn huis zag. Ik was vastbesloten – voor het geval er ruzie zou komen – ervoor te zorgen dat hij me geen enkel verwijt kon maken, want vroeg of laat zou er ruzie komen.

'Sodeju, jij zit hier mooi, zeg!' Papa snoof bewonderend de verkwikkende lucht op. Hij was met zijn kleine blauwe bestelwagentje helemaal uit Devon komen rijden, waar hij met Jessie woonde. Jessie zat, samen met hun twee honden, achterin op een oude leunstoel waar papa de poten van af had gezaagd. Het wagentje was tot het dak volgeladen met dozen en de schrik sloeg me om het hart toen ik boven uit een van de dozen een theepot en een zware glazen vaas zag steken: niemand nam glazen vazen mee op vakantie. Ik probeerde de zekere gedachte dat hij verhuisd was van me af te zetten. 'O God! Niet naar mijn huis,' bad ik stilletjes.

Het verbaasde me niet al te zeer te ontdekken dat God niet naar me geluisterd had. Een paar dagen na zijn komst zei papa: 'Weet je, Ebbs, ik geloof dat ik hier wel zou willen wonen.' Hij zei me dat hij het niet kon verdragen naar Devon terug te gaan nu Maurice had besloten met een paar vrienden naar Australië te gaan. Snikkend vroeg papa me om met Maurice te praten en te proberen hem over te halen niet te gaan. Dat deed ik ook en Maurice ging niet, maar jaren later vertelde Maurice me dat hij wenste dat hij het wel had gedaan.

De 'paar' dagen werden drie maanden, en mijn zenuwen begaven het. Papa had in ons huis als het ware zijn 'plekje' opgeëist. Tot mijn verbazing maakte hij in al die tijd niet één keer ruzie met me; hij ergerde me zelfs met zijn overdreven verlangen me niet tegen de haren in te strijken. Zijn relatie met Jessie was een ander geval. 'Die kloteworstjes zijn verbrand,' hoorde ik hem op een ochtend voor de honderdste keer tegen Jessie schreeuwen terwijl hij het huis uit denderde. Ik wist dat de kansen dat papa de overhand kreeg met de dag groter werden naarmate ze langer bleven. Derek had een verbazingwekkend geduld en zei heel weinig over wat hij van de situatie vond, maar ik was me ervan bewust dat hij met het verstrijken van de tijd de spanning voelde.

'Ik ga een huis voor ze zoeken,' zei ik tegen Derek, en hij leek opgelucht. Hoe vertel je een ouder dat het tijd wordt dat hij vertrekt? Vooral iemand als papa, een ouderwetse Ier die geloofde dat zijn dochter de plicht had om op zijn oude dag voor hem te zorgen – hoewel hij nog maar achtenveertig was en dus allesbehalve oud. De afgelopen tien jaar had hij alleen maar gewerkt wanneer hij er zin in had; Maurice en Jessie zorgden voor brood op de plank. Jessie werd daarentegen inmiddels wel te oud om te werken nu ze bijna zestig was. Ze was versleten en vaak niet in orde. Ik zag al uit welke hoek de wind kwam: papa werkte toe naar een situatie waar Derek en ik voor hem zouden zorgen. Als het aan mij lag zou dit niet gebeuren.

'Het is voor de schaapherder gebouwd, maar hij leeft niet meer,' vertelde Geordie McPhee, de rentmeester voor de Islay Estate, me. Toevallig was ik de dag ervoor binnendoor naar Port Ellen gereden en had ergens midden op het land een pas gebouwd huisje zien staan. Hij gaf me de sleutels zodat papa het kon bekijken. Ik zat te duimen terwijl ik een ruw schetsje voor papa maakte, en zei: 'Het is net voorbij het derde veerooster op de weg binnendoor naar Port Ellen.' Ik zei tegen papa dat het voor hem een prachtige kans was om opnieuw te beginnen. Er was voor een schilder met zijn ervaring werk in overvloed op het eiland en ik zou hem helpen om opdrachten te vinden. Dit sprak hem allemaal wel aan en Maurice stemde ermee in naar Islay te komen en hem een handje te helpen om de zaak van de grond te krijgen.

Papa werkte hard om het huisje op te schilderen en te meubileren, en ik was opgetogen wanneer ik hem 's ochtends hoorde fluiten terwijl hij zich klaarmaakte om voor de hele dag te vertrekken. Hij was vol hoop en keek ernaar uit om een bestaan te doen herleven dat wel iets weg had van wat hij in zijn jonge jaren in de Strawberry Beds in Dublin had gehad, toen hij zijn dagen sleet met vissen en buiten zwerven. Hij hoefde zich nu niet om kinderen te bekommeren en afgezien van Jessie had hij geen verantwoordelijkheden.

Toen ze in hun nieuwe huis waren getrokken, had papa me niet nodig, althans niet op dit moment, en ik keek dan ook niet op toen hij op een dag tegen me begon op te spelen. Ik maakte me er niet al te druk om; de spanning dat ik zowel hem als Jessie plus de twee honden bij me had was slopend geweest en er hing een soort somberheid over mijn huis. Ik was dan ook meer dan een beetje opgelucht dat ik hem een tijdje niet in de buurt had. Natuurlijk besefte ik dit pas toen ze verhuisd waren. Papa had er slag van om zonder een woord te zeggen een kille atmosfeer in een kamer te creëren; het was alleen maar een uitdrukking op zijn gezicht of een bepaalde blik in zijn uiterst expressieve ogen of de manier waarom hij diepe zuchten slaakte. Mijn broers waren niet op bezoek geweest in de tijd dat papa bij mij in huis was en daar was ik blij om. Ik had geprobeerd om wat beter contact met Jessie te krijgen, maar afgezien van het feit dat ze dankbaar was dat ik het koken voor papa van haar overnam, bleef ze afstandelijk maar beleefd; maar ze sloofde zich uit voor Derek, die haar vriendelijk en met respect behandelde. Ik weet niet waarom het zo was, maar ik voelde me buitengewoon met haar begaan. Sinds ik een jaar of tien oud was, had ik niet één keer gezien dat ze op enige lichamelijke wijze geliefkoosd of getroost werd. Mijn opleiding in de psychiatrie was er voor een deel op gericht geweest hoe belangrijk het was om bemind en gewenst te zijn. De relatie tussen papa en Jessie was onnatuurlijk en zo anders dan twee partners die van elkaar houden als je je maar kunt indenken. Natuurlijk had ik ook van mijn vader niet gezien dat hij lichamelijk contact met iemand had. Op een avond toen hij met ons meekwam naar een dansavond vroeg hij mij ten dans. Ik was stomverbaasd dat hij kon dansen, maar het was voor ons beiden gênant om zulk intiem lichamelijk contact te hebben en ik denk dat hij even opgelucht was als ik toen de dans afgelopen was. Wat een verschil met die lang vervlogen tijd toen ik als klein meisje bij hem op schoot zat terwijl hij me met lezen hielp, of me optilde en hoog in de lucht rondzwaaide tot ik het uitgilde van pure blijdschap dat papa thuis was. Het kostte hem daarentegen geen enkele moeite zijn hond te liefkozen. Het arme beest was oud en ziek en stonk verschrikkelijk, maar papa scheen het niet te merken. Hij had klaarblijkelijk nog steeds het vermogen om lief te hebben, maar zo te zien niet iemand die hem zou kunnen verlaten of kwetsen. 'Het enige dat ik wil is lachen en muziek maken,' was zijn onveranderlijke refrein. Hij wilde een 'gelukkig' thuis en waarom zou hij dat niet kunnen hebben? Kon het misschien zijn dat het niet bij hem was opgekomen dat je twee mensen nodig had om te kunnen lachen – dat alle betrokken partijen samen moesten werken om geluk en harmonie te creëren? Ik denk dat papa vond dat het andermans verantwoordelijkheid moest zijn om hem gelukkig te maken. Hij verwachtte met respect te worden behandeld, maar toonde ons geen enkel respect. Wanneer hij in een goed humeur was moest de hele wereld precies zo reageren, ongeacht het feit dat hij vijf minuten daarvoor had staan schreeuwen en brullen. Kinderlijk als hij was kon hij niet begrijpen waarom hij geen familie om zich heen had. Omgekeerd kon hij echter ook diep medeleven en enorme grootmoedigheid tonen en hij had een aangeboren gevoel van rechtvaardigheid. Maar die goede eigenschappen herkende ik bij hem pas toen ik ouder werd.

Ik vond de bekrompen mentaliteit van zo'n kleine gemeenschap uiterst indringerig. Iedereen was van iedereen ergens op het eiland familie. Toen dokter Reid me vroeg of ik voor hem wilde werken – 'een paar uur per week zou al prima zijn' – vertelde hij me dat het moeilijk was om alle gegevens van de patiënten vertrouwelijk te houden. 'Ze zijn allemaal familie van elkaar – een nachtmerrie is het,' zei hij, meer tegen zichzelf dan tegen mij.

De praktijk van dokter Reid bevond zich in het uiterste westen van het eiland, in het betoverende dorpje Bruichladhie. Daar was hij geboren en daar was zijn vader meer dan veertig jaar huisarts geweest. Toen zijn vader plotseling was overleden, had dokter Reid erin toegestemd om tijdelijk te blijven tot er een vervanger kon worden gevonden. Het was niet wat

hij wilde doen; Gregory Reid had het in zich om een briljan-
te carrière in kindergeneeskunde te maken. Helaas was de
praktijk tegen de woning van zijn ouders aan gebouwd en hij
vond dat hij zijn moeder in dit stadium van haar leven niet
naar een ander huis kon laten zoeken. Zoals zo vaak gebeurt,
deed dokter Reid zijn plicht en zette zijn ambities en ver-
wachtingen aan de kant, en liet de uitkomst aan de goden
over. Maar hij was niet verbitterd. 'Ach, dat een man verder
zou kunnen reiken dan zijn hand lang is,' citeerde hij vol ironie Browning.

De kranten werden altijd een dag te laat op het eiland bezorgd en helemaal niet als de veerboot wegens slecht weer
niet kon varen, en het brood was nooit vers. Een handjevol
families was eigenaar en beheerder van het gros van de de-
tailhandel op het eiland en de kosten van levensonderhoud
waren huizenhoog. De plaatselijke autodealer was David
Monroe, een zware, gedrongen man van achter in de veertig.
Hij verkocht alleen Morrisjes 1000 en als je, zoals wij, een
ander merk of model wilde hebben, kon je dat alleen kopen
als je naar het vasteland ging. Hij was tevens de eigenaar van
de slagerswinkel en van het enige benzinestation in Bowmore.
Vaak overhandigde hij een groot stuk vlees aan een klant die
in de richting van de veerboot naar Jura woonde, en zei zo
losjesweg: 'Geef dat even af bij de veerboot.'
    Op een zaterdag, nog niet zo lang nadat we op het eiland
gearriveerd waren, was ik de uitverkoren koerierster.
    'Sorry, maar ik kom niet in Port Askaig.' Ik zei tegen hem
dat ik daar wel vijftien tot twintig kilometer voor moest om-
rijden. Er viel een stilte over de wachtende vrouwen en ik
voelde hun ogen op me gericht. Ik wachtte tot ik mijn wissel-
geld kreeg, dat hij me bijna toegooide.
    'Dat zou je maar een halfuurtje kosten,' zei hij beschuldi-
gend.

Ik zag niet in waarom hij van me verwachtte dat ik een onbetaalde bezorger zou zijn, en aangezien hij niet eens een paar shilling van zijn peperdure vlees aftrok, kon hij van mij het heen en weer krijgen, en dat zei ik hem ook. Iedereen achter me ademde scherp in. Deze mensen waren eraan gewend beleefd en behulpzaam voor hun eigen mensen te zijn en daar bewonderde ik hen om. Maar ze konden of wilden mijn standpunt wat betreft deze stinkrijke zakenman niet zien, namelijk dat hij gedwongen zou zijn een bezorger in dienst te nemen wanneer iedereen zich zo opstelde als ik. Niemand keek me aan toen ik de winkel uit liep. Nog voor de deur goed en wel dicht was, hoorde ik achter me het opgewonden gepraat al losbarsten. 'Dat is nou typisch iets voor nieuwkomers!' hoorde ik een of andere oude zeurpiet zeggen.

Madge Morrison runde de kledingzaak. Ik mocht Madge graag. Ze was een kleine, elegante, blonde vrouw die altijd perfect opgemaakt was, en haar dure parfum gaf het winkeltje een subtiele, lekkere geur. Ze had een brede lach voor iedereen die de deuren van haar rijk passeerde. Als je een mooie jurk aanpaste die je je niet kon veroorloven, zei ze altijd attent en discreet op een samenzweerderig fluistertoontje: 'Betaal me wanneer het je uitkomt, kind,' en dan pakte ze het kledingstuk zorgvuldig in vloeipapier en bruin pakpapier. Zich ervan bewust dat iedereen naar dezelfde evenementen ging, had ze van ieder model maar één in voorraad.

Alle telefoongesprekken gingen via Jeannie, de vrouw die in Port Ellen aan de andere kant van Islay de centrale bemande die aan haar huis was gebouwd. Je hoefde het nummer dat je wilde bellen niet te weten.

'Hallo, kun je me met dokter Reid doorverbinden?' Ze zei niet: 'Jazeker, mevrouw': het was: 'Voel je je niet goed, liefje?' en dan probeerde ze zoveel mogelijk informatie uit je los te krijgen.

'Nee, Jeannie, ik wil alleen een herhalingsrecept.'
Aangezien ze waarschijnlijk al wist waarom je het recept in eerste instantie nodig had gehad, was ze tevreden en verbond je door. Je mocht hopen dat iemand anders die belde haar bezighield in de tijd dat jij met de dokter praatte. Als dat niet de dokter was, bemoeide ze zich soms met het gesprek om haar duit in het zakje te doen.

Ik vond het frustrerend dat er altijd wel iemand was die me vertelde dat ik ergens een lamp had laten branden als ik 's nachts uit bed was geweest; sliepen ze ooit wel eens? Het favoriete onderwerp van gesprek was 'de turf binnenhalen'; iedereen scheen op de heide een stuk veen te bezitten. Bij de WRI, het Women's Royal Institute ofwel de plaatselijke afdeling van deze vrouwenvereniging was de kwaliteit van de scones van de buurvrouw een voortdurende bron van roddel, en de hemel stond de huisvrouw bij die geen blinkend witte was had. Het was heel beslist een matriarchale samenleving. Twee oudere mannen uit het dorp negeerden elkaar tot ze uit het zicht van hun woning waren en liepen vervolgens gezellig met elkaar keuvelend naar de distilleerderij; hun echtgenotes stonden op voet van oorlog met elkaar en hadden hen verboden om vrienden te zijn. Ze waren zonder twijfel allemaal vergeten waar de ruzie oorspronkelijk over ging, maar wanneer er eenmaal een vete was ontstaan bleef die generaties lang bestaan.

Ik had moeite niet te lachen toen de politieagent ons heel laat op een avond gebaarde om te stoppen toen we van een dansavond aan de andere kant van het eiland terugkwamen.

'Heeft u onderweg een andere auto gezien, meneer Stones?'
Derek zei hem dat we helemaal niets gezien hadden. De agent was heel serieus.

'Er is iemand doorgereden na een aanrijding.'
Natuurlijk waren wij bezorgd en vroegen of er iemand gewond was.

157

Zijn hoofd schuddend en een diepe zucht slakend fluisterde hij bijna: 'Dood, vrees ik.' Hij wees naar een donkere
hoop die naast een grote gaspeldoorn lag.

Ik sprong de auto uit, het duister in, om te helpen en liep
naar het 'lichaam' toe. De politieagent richtte zijn zaklan-
taarn omhoog en scheen op een morsdood, dik schaap. 'Nauwelijks de misdaad van de eeuw,' mopperde ik. Behalve zo nu
en dan een stroper, was er weinig of geen criminaliteit. Deze
smeris had dan ook heel weinig te doen en behandelde ieder
'incident' met de nodige gewichtigheid.

Donnie MacLean was zo'n stroper, die uitgerekend op het
grote landgoed werkte. Hij scheen er een gave voor te hebben
om – meestal in het holst van de nacht – 'zieke zalm' op te
sporen, zoals hij ze noemde als de jachtopziener hem betrapte. Archie Logan, de jachtopziener, vulde zijn schamele inkomen aan door deze 'zieke' vis aan de plaatselijke hotels te verkopen en verbazingwekkend genoeg struikelde hij altijd over
'gewonde' herten op de weg. De jachthonden op het landgoed
hadden een onevenredig aantal 'ondermaatse dieren'; voor
twintig pond per stuk accepteerde hij contant geld of cheques.

De directeuren van de distilleerderijen waren de opperheren
van de dorpen. Zij waren de hoogst geplaatste functionaris-
sen van de bedrijven en eigenaar van alle gebouwen met de
grond, inclusief de huizen, binnen ieder complex. Meestal
stond het huis van de directeur een stukje apart van de huizen van de arbeiders; in ons dorp stond zijn huis, een grote,
witte bungalow, boven op een heuvel die over de rest van het
dorp uitkeek. John Gilmore was onderdirecteur toen zijn
oude baas plotseling en op tragische wijze overleed. Omdat
hij op het juiste ogenblik op de juiste plek was, wist hij de
positie van directeur te bemachtigen.

De stank van de draf (het afvalproduct bij het distilleerpro-
ces van de whisky) hing als een giftige wolk boven het dorp.

De draf lag opgehoopt tegen de muur aan de achterkant van de grootste opslagloods en was snel bezig om tot een enorme berg uit te groeien. Uiteindelijk konden de oudere vrouwen van het dorp, onder leiding van de geduchte Bella Dougan, het niet meer verdragen hun ramen en deuren potdicht te houden en ze stormden als een stel snaterende, boze ganzen Johns kantoor binnen en eisten dat hij de berg onmiddellijk zou weghalen. Onze onversaagde en uiterst vindingrijke directeur bedacht een geniaal plan.

De daarop volgende dagen reed een lange rij tractoren met aanhangwagens grote hopen van de verrotte berg weg. De smerige stank drong in alle hoeken en gaten van het dorp door, maar ten langen leste konden we onze ramen weer opendoen. 'Ik waarschuwde hem dat er problemen van zouden komen,' mopperde Derek. 'Hij heeft die stinktroep aan de boeren verkocht zonder die eerst te drogen.'

De problemen lieten niet lang op zich wachten. Een paar dagen later keken we met een zeker wraakgierig leedvermaak toe hoe een lange rij Land Rovers en tractoren zonder aanhanger gierend het dorp in kwamen rijden op zoek naar JG en duidelijk op zijn bloed uit waren. De draf was in de maag van het vee gaan gisten en overal vielen er dieren dronken neer. De dierenarts was er druk mee en het kostte de boeren een fortuin aan verloren melkproductie.

Shuggie woonde met zijn bejaarde moeder op een boerderij die een paar kilometer verderop langs de weg lag die het dorp uit leidde. Op een ochtend liep ik er even binnen toen ik van het ziekenhuis onderweg naar huis was.

'Ze gaat snel achteruit,' zei Shuggie toen hij met me mee terugliep naar de auto. Dat kon ik alleen maar beamen. Ze was bijna negentig en had een slecht hart.

'Ik denk dat ik maar eens naar een vrouw moet gaan uitkijken, denk je ook niet?'

Ik dacht dat hij het over een hulp in de huishouding had. 'Nee, ik bedoel dat ik maar eens moet gaan trouwen.' Ik schrok even, maar zei hem dat hij een goede partij zou zijn voor een of andere nette dame van misschien begin veertig, aangezien hij zelf ook nog een betrekkelijk jonge man van begin veertig was.

'Ach, maar mevrouw Stones, zouden ze op die leeftijd nog wel jongen?' Hij was volmaakt serieus en kon niet begrijpen waarom ik moest lachen.

'Shuggie, wat wil je nou, een vrouw of een koe?'

Ik liet hem op zijn hoofd krabbelend staan. Zijn moeder had heel zijn leven voor hem gezorgd en nu haar dood naderde, speelde de behoefte aan iemand die voor hem zou zorgen voortdurend in zijn gedachten; liefde was geen overweging bij zijn zoeken naar een vrouw. Ik ben er nooit achter gekomen of het hem gelukt is een vrouw te vinden die kinderen kon krijgen.

Overal op het eiland werden posters opgehangen met de aankondiging dat er een 'belangrijke speelfilm' in de Bowmore Community Hall zou worden vertoond. 'Boek snel om teleurstelling te voorkomen,' stond er op de poster; ik bestelde twee kaartjes.

De volgepakte zaal zat vol verwachting te wachten en eindelijk ging het licht uit. *The Hill* mag een fantastische film zijn geweest, maar verloor toch wel het nodige van zijn spanning en drama toen hij steeds maar brak. En hij blééf de drie weken dat hij daar draaide breken. Ik weet niet of iemand op het eiland ooit de hele film ononderbroken heeft gezien.

14

In de zomer van 1973 was ik verrukt toen Derek naar een baan op het vasteland solliciteerde en werd aangenomen. Voor ik vertrok ging ik bij Jessie langs en zei haar dat ze me moest opbellen als ze ooit hulp nodig had. 'Maak je geen zorgen om mij,' zei ze lomp. Ze scheen eindelijk iets van geluk gevonden te hebben. Papa had het druk met het verven van een van de grote landhuizen bij Port Askaig en was bezig een behoorlijk sociaal leven in pubs op te bouwen. Hij was bijna nooit thuis en dat vond Jessie prima. Haar buren, die een stukje voorbij hun bungalow een boerderij langs de weg hadden, gaven haar wat kippen en eenden, en ze overstelpte die en de honden met alle liefde die ze in zich had. Papa had een redelijk grote tuin voor haar omgespit en ze was in haar element. Maurice was ook vertrokken. Papa gaf mij daarvan de schuld. Nu moesten ze op eigen benen staan. Voor het eerst sinds ze bij elkaar waren zouden ze nu helemaal alleen zijn.

Ik keek ernaar uit om terug te keren naar de 'beschaving' en de luxe van naamloos door het leven te gaan. Toch zou ik een aantal dingen van het eiland missen. De vers gevangen bot en makreel die ik altijd kocht van de jongens die de vis vanaf het eind van de kleine, houten pier aan hun speer regen. De dansavonden, waar ik de Gay Gordons, Strip de Willow en de Eightsome Reel danste, snelle, energieke dansen waarvan ik buiten adem raakte, vooral als een van de jonge mannen van het eiland me ten dans vroeg; vaak dansten we tot vier uur in de ochtend. Rusty, de alcoholische hond die het liefst op mijn stoepje de roes uitsliep van de whisky die hij in de vulruimte had opgelikt. Meestal werd hij grommend wakker met een verwrongen kop en had hij duidelijk last van een kater. De mannen vonden het grappig; ik vond hen wreed. De oude Billy, die aan het eind van de pier op zijn doedelzak oefende omdat iedereen naar hem schreeuwde dat hij 'ver weg moest spelen'.

Ik zou Yougan missen, de teruggetrokken schaapherder die, samen met zijn broers, op het vers gedolven graf van zijn moeder verschillende flessen whisky soldaat zat te maken om haar op weg naar het hiernamaals te begeleiden. Een enkele keer wandelde hij naar het dorp en liep bij de eerste deur die hij open aantrof naar binnen, en op een regenachtige middag was dat mijn deur. Toen ik zwaar ademen en gesnuif hoorde, dacht ik in eerste instantie dat een verdoold dier naar binnen was gelopen. Maar hij was het die als een hoop smerige vodden op mijn crèmekleurige bank zat en een afschuwelijke stank in mijn woonkamer verspreidde. Hij zei geen woord – dat hoefde ook niet, want we wisten allemaal waarom hij langskwam: hij moest een neutje hebben. De meeste mensen bij wie hij aan liep schonken een klein flesje vol met whisky en stuurden hem weg. Ik schonk een goed glas van de beste moutwhisky in en gaf het hem aan. Hij slikte het zonder iets te zeggen weg en wuifde met het glas in mijn richting om aan te duiden dat hij nog wel een glas wilde. Een halfuur later was ik blij dat Derek thuiskwam en Yougan vertrok; tijdens zijn bezoek had hij geen stom woord gezegd.

Ik zou Gordon, de ramenwasser, missen, die het niet gek vond dat hij waarschijnlijk de enige ramenwasser ter wereld was die bang was om op de ladder te klimmen. 'Beneden wil ik het wel doen, meisje. Maar ik ga niet de ladder op.' Gelukkig had hij geen concurrentie. Ik nam hem omdat het zo bizar was. Derek mopperde dat ik geld weggooide.

'Het wordt je dood nog eens een keer als je zo buiten de slaapkamerramen hangt.' Maar hij bood niet aan de ramen zelf te doen.

Ik zou Peter en Anne, Margarets twee kinderen, met hun goede manieren en respect voor anderen missen; Findlay, een knap jongetje dat twee deuren verder woonde en altijd bereid was een boodschap te doen, maar daar niets voor wilde aannemen; kleine Wilma, de dochter van de schilder, die zeven jaar was en heel schuchter en verlegen, maar die haar nieuwe babybroertje als een kleine tijgerin beschermde. Ze deed me heel veel aan mezelf denken toen ik haar leeftijd had...

En ik zou de veilige geborgenheid van deze afgelegen microkosmos, de prachtige zonsondergangen en de woeste zee missen.

Maar tenzij je er bent geboren, is het eilandleven iets waar je veel meer van geniet wanneer je er weg bent. Ik was blij er weg te gaan en toen ik Port Askaig door de mist zag verdwijnen voelde ik opluchting en een zekere opwinding. Derek en ik hadden in de drie jaar dat we van de spanning en druk van de grotere wereld weg waren geweest rust en kameraadschap verkregen. Hij had goed verdiend als monteur op de distilleerderij en ik had genoeg verdiend om de kosten van het huishouden te dekken. In mijn gedachten gingen we nu pas met ons echte huwelijksleven beginnen. Ik had rust. Mijn broers waren allemaal bezig een eigen leven op te bouwen; ja, ze zouden fouten maken zoals we op onze levensreis allemaal doen, maar ze hadden me nu niet nodig. Papa en Jessie waren, voor zover ik dacht, eindelijk gesetteld in een mooi huis en konden er behoorlijk van leven.

Ik hoopte dat papa het niet in zijn hoofd zou halen om weer te gaan verhuizen. Hij had de gewoonte om te verhuizen naar een plaats waar hij toevallig kwam, of het nu op vakantie was of op doorreis. En soms waren de gevolgen rampzalig. Maurice vertelde me dat de allerergste keer was geweest toen hij een klein wevershuisje in een pittoresk dorpje in Yorkshire had gehuurd. Hij had kunnen weten dat het huisje, het laatste van een rijtje van een stuk of zes huizen, een paar problemen zou hebben toen de huisbaas hem de roestige, vijftien centimeter lange sleutel van de voordeur overhandigde. 'Net een sleutel van een oude kerker,' zei Maurice.

Papa, enthousiast als altijd wanneer hij een nieuw plekje had gevonden, zei dat het alleen maar een likje verf nodig had, en hij en Maurice zetten zich manmoedig aan de taak. Maurice was er heel pessimistisch en cynisch over dat iets dit oude huis nog bewoonbaar zou kunnen maken. 'Het had verdomme niet eens een wc, alleen een houten huisje achter in de tuin, praktisch op het land achter het huis,' vertelde hij me toen hij het relaas deed van die verschrikkelijke dag dat de wc bijna boven Jessies hoofd instortte.

Terwijl Maurice en papa bezig waren de muren van de slaapkamers aan de voorkant van het huis voor de derde keer te bekleden in de vergeefse hoop het vocht buiten de deur te houden, hoorden ze zacht haar stem in de verte: 'Dessieee!' Ze haastten zich niet om erheen te gaan, maar haar geroep werd steeds dringender. Ten slotte liepen ze de achterdeur van het huis uit en zagen tot hun grote schrik een enorme Hereford-stier die zijn achterste tegen het zwakke, rottende wandje van de wc stond te schurken. Jessie zat binnen gevangen en het houten bouwsel wankelde alarmerend.

'Vlug, jaag dat verdraaide beest weg,' droeg papa Maurice op terwijl hij wild met zijn handen in de richting van het dier zwaaide.

'Dat meent u niet – kijk eens wat een monster het is!' Maurice was niet van gisteren; Jessie zou veilig zijn zolang het huisje bleef staan.

Terwijl zij aan het redetwisten waren over de beste manier om de stier weg te jagen, kon je Jessie rustig door de muur van de wc tegen het beest horen praten. 'Meisje' noemde ze hem. Papa en Maurice dachten dat ze haar maar beter niet de volle omvang van haar netelige positie konden duidelijk maken. Maurice ging de boer halen en tegen de tijd dat hij met hem terugkwam was de stier rustig weggelopen en zat Jessie achter een mok thee om te kalmeren; papa had een grote whisky.

Hoewel ze er later allemaal om konden lachen, hoopte ik oprecht dat er niet meer van dat soort avonturen zouden komen.

Opeens stak er een rukwind op en ik liep vlug naar beneden voor beschutting. De veerboot slingerde hevig terwijl hij moeizaam op het vasteland af voer. Als ik bijgelovig was geweest, zou ik de kleine storm als een slecht voorteken hebben opgevat. Maar kan een optimist pessimistisch zijn? Soms, misschien, maar ik niet: mijn beker was altijd halfvol. Die van Derek was altijd halfleeg.

15

Eenmaal terug op het vasteland kochten Derek en ik ons eerste huis van de New Town Development Corporation met een hypotheek van 100 procent. Livingston was een van een aantal nieuwe kernen die waren samengevoegd om de woningnood van enkele grote steden te verminderen. Meestal lagen ze op een stuk onontgonnen gebied zo'n dertig kilometer buiten de stad. Livingston lag bijna halverwege tussen Glasgow en Edinburgh. In het begin kregen gezinnen die bereid waren uit Glasgow weg te gaan het niet onaanzienlijke bedrag van vijfhonderd pond in contanten, plus een verhuisvergoeding. Het was een somber, deprimerend oord, met grote stukken groen, maar niet het zachte groen van Ierland; deze oorden waren bezaaid met groepjes simpele huizen in voornamelijk grijzige grindsteen. Straten hadden illustere namen zoals Heatherbank, Elm Grove of Spey Drive. In het kleine winkelcentrum was een dokterspraktijk, een slagerswinkel, de Co-op, een makelaar en, voor sommige bewoners het allerbelangrijkste, een advocatenkantoor. De bevolking wisselde steeds; de meeste mensen gingen terug naar de huurwoningen en achterbuurten van de stad. Livingston had geen 'hart' en ik kon het hen niet kwalijk nemen. Maar ik had het er wel naar mijn zin; ik werkte zoveel mogelijk uren. Vaak draaide ik dubbele diensten op de bussen, hoewel ik hier niet zoveel plezier en vriendschap vond als ik jaren geleden in Oldham had gehad. Ik had besloten niet meer in de verpleging terug te gaan aangezien de salarissen schrikbarend laag waren en we het geld nodig hadden. Ik had het plan opgevat dat ik, als we genoeg konden sparen en onze schulden afbetalen, aan kinderen kon gaan denken.

Ik was geschokt door alle veranderingen die hadden plaatsgevonden in die paar jaar dat we waren weggeweest. We hadden evengoed ver in de woestijn in Timboektoe kunnen zitten. Op Islay hadden we alleen de BBC op televisie kunnen ontvangen en de ontvangst daarvan was heel slecht, dus afgezien van de enkele zondagskrant waren we zalig onkundig van de enorme inflatie die Groot-Brittannië in zijn greep had. De feministische beweging eiste dat mannen hun aandeel binnen het huwelijk leverden en vrouwen wilden gelijke beloning, maar ik was blij als dame te worden behandeld. Ik vind het nog steeds prettig als een man een deur voor me openhoudt, en toen een arbeider een paar jaar geleden naar me floot, vond ik dat heel leuk. In de tijd dat ik op Islay woonde waren we overgestapt op het decimale geldsysteem. Wij waren jong en wenden moeiteloos aan de nieuwe munteenheid – eigenlijk was het heel gemakkelijk, maar oude mensen vonden het verwarrend. Natuurlijk rekenden we in ons hoofd het nieuwe geld, 'p's' terug naar 'echt geld'. Van het ministerie van Financiën mochten we onze munten van één en twee shilling houden, maar werden er wel voortdurend aan herinnerd dat die nu respectievelijk 'vijf p' en 'tien p' waard waren. Harold Wilson had het mandaat gekregen om lid te worden van de EEG en we waren nu Europeanen, maar we hielden hardnekkig vast aan 'traditionele' Britse zeden en gewoonten omdat we nu eenmaal isolationistische eilandbewoners zijn. Maar we hadden er geen idee van hoezeer het de prijzen had beïnvloed. Ik zag alleen niet in waarom er zoveel opwinding was; op Islay was alles duur geweest.

'Dat kunnen we ons nog niet permitteren. Trouwens, waarom zou je een kind willen?' vroeg Derek toen ik met hem over het onderwerp begon. Wat hem betrof was dat het einde van de discussie. Hoe kun je het verlangen naar een kind uitleggen aan een man? In mij kwam een oerbehoefte boven. Ik voelde me onvolledig; er ontbrak iemand. Ik had steeds weer een droom over een klein jongetje dat naar me riep. Ik voelde een enorme woede jegens Derek. Maar ik wist zeker dat ik hem vroeg of laat van gedachten kon laten veranderen, en liet het er bij.

We konden ons echter wel een nieuwe kleurentelevisie en een hoogpolig tapijt veroorloven; voortdurend bleef ik bezig om ervoor te zorgen dat de pool niet op een warrige schapenvacht leek. Met het verstrijken van de maanden werd me duidelijk dat Derek helemaal niet van plan was om ooit een kind te verwekken; hij was nu drieëndertig en vond het prima zoals het nu was. Aan al zijn behoeften werd voldaan en hij hoefde zelf niet veel in ons huwelijk in te brengen.

Op een dag zag ik op mijn bus een wervingsadvertentie van de politie en besloot ter plekke dat ik, als ik dan geen moeder zou worden, met een nieuwe carrière zou gaan beginnen. Natuurlijk was Derek er tegen, maar ik hield voet bij stuk. 'Ik ga bij de politie en daarmee uit,' zei ik tegen hem.

Natuurlijk moest ik eerst een aantal obstakels nemen, waarvan het toelatingsexamen niet het onbelangrijkste was. Pas op de ochtend van het examen besefte ik hoe ontzettend graag ik bij de politie wilde gaan. Als ontbijt kon ik niet meer wegkrijgen dan twee koppen thee en een paar sigaretten. Ik liep bijna weg van het hoofdbureau van politie; ik was volkomen in paniek. Ik trok de zware deur naar de collegezaal open waarop een groot plakkaat was bevestigd met de woorden STILTE! EXAMEN, en voegde me bij de andere kandidaten in de grote zaal, allemaal mannen. Ik staarde naar het papier voor me en was als verlamd.

'Als zes mannen drie uur bezig waren om een gat te graven

van drie vierkante meter en twee meter diep, hoelang...' In de vraag werd zelfs vermeld dat een van de mannen een aanzienlijk deel van de tijd op zijn schop leunde. 'Waarom zou ik dat moeten weten?' vroeg ik me in machteloze woede af. Ik had geen flauwe notie of dit algebra was, differentiaalrekenen, meetkunde of gewoon rekenen. Mijn wiskundeleraar op school had drie jaar lang geprobeerd ons algebra bij te brengen, maar ik kreeg het maar niet door, hoe goed ik ook luisterde; eigenlijk heb ik nooit ontdekt wat het precies was of wat je er in het grote geheel mee aan moest. Tot mijn enorme opluchting bestond de volgende bladzijde uit een toespraak die de een of andere academicus op een congres had gehouden en de vragen vroegen ons om in gewoon Engels uit te leggen waar ze het over had gehad; dat kostte me geen moeite. Verder waren er nog wat vragen over aardrijkskunde en een aantal multiple-choicevragen. Ik was niet erg zeker van mezelf. Afgezien van mijn examens verpleegkunde, waarmee ik heel weinig moeite had gehad, had ik mijn povere kennis niet aan de toets hoeven onderwerpen. In de Education Act uit 1944 was er sprake van drie verschillende soorten middelbare scholen: je had de grammar schools die opleidden voor universitair onderwijs, de secondary modern schools, waar je een afgeronde middelbare opleiding kreeg en de technische scholen. Toen de oorlog voorbij was, werd scholing als 'essentieel' beschouwd om Groot-Brittannië weer op te bouwen. De gebruikelijke weg om toegelaten te worden was het zogenaamde 'eleven-plus'-examen, maar ik kwam te laat in het schoolsysteem terecht om het 'eleven-plus' te doen. En aangezien ik vóór mijn vijftiende van school was gegaan, had ik geen andere examens gedaan.

Later vertelde de brigadier die voor de werving verantwoordelijk was me dat ik tot de top vijf behoorde van de kandidaten die tegelijk met mij examen hadden gedaan. Ik was opgetogen.

'Ik, Evelyn Stones, verklaar en beloof hierbij plechtig dat ik getrouw de plichten en taken van politieagent zal vervullen.' Ik stond voor de kantonrechter met een in rood leer gebonden bijbel in mijn hand en herhaalde wat de dikke man met het rode gezicht zei toen ik de ambtseed bij mijn toetreding tot het politiekorps aflegde. Het was een uiterst plechtige gebeurtenis die me opnieuw doordrong van de enorme verplichting die ik aanging door bij de politie te gaan; het was bijna religieus.

Ik hield van mijn nieuwe werk vanaf het moment dat ik als een idioot de brede, statige oprit van kasteel Tulliallan, het opleidingsinstituut van de politie, op reed en slippend tot stilstand kwam voor de indrukwekkende ingang. Ik wist dat het laat was en hijgend als een paard vroeg ik waar ik heen moest.

'Je bent zo'n twintig jaar te vroeg voor deze kant, wijfie,' bracht de commissaris in uniform me op de hoogte en wees me waar de basisopleiding was.

Ik voegde me bij de andere nieuwelingen van wie de meesten tussen de achttien en twintig jaar waren. Toen we ons met onze nieuwe uniformen en glimmende schoenen aan op de paradeplaats verzamelden, was dat met een gevoel of ik hier thuishoorde.

In de zes weken die volgden leerden we de basiskennis die vereist is voor het patrouilleren van de straten, de bescherming van leven en eigendom, het voorkomen en opsporen van misdaad en het onpartijdig zijn.

We leerden dat het publiek *lieges* waren en dat voorwerpen die voor de rechtbank voorgelegd werden *productions* werden genoemd. Alles had een definitie. Immigranten waren *aliens*, vreemdelingen en de Ieren waren 'de grootste etnische minderheid in Groot-Brittannië' die, afgezien van 'hun zorgeloze vechtreputatie, over het algemeen heel goed in de Britse samenleving geïntegreerd is'. Waarom de hele klas toen naar me keek weet ik niet. We werden ons ervan bewust van gemaakt dat ook wij *lieges* waren en even gemakkelijk als ieder ander beledigd konden worden als het om een arrestatie ging.

'In godsnaam, agent, ik sta aan uw kant,' brulde de arme brigadier Campbell tegen me met zijn sterke, zangerige hooglandse accent. 'Je kunt een man toch niet opsluiten omdat hij obscene taal gebruikt? Wat heeft de beschuldigde nou precies gezegd?'

We leerden hoe we in een 'proefrechtbank' bewijs moesten overleggen. Ik probeerde een veroordeling voor ordeverstoring te krijgen. Het woord 'neuken' vond ik uiterst aanstootgevend en ik weigerde het in deze omstandigheden te zeggen. 'Ik beloof u dat ik het in het echt wel zal zeggen, brigadier,' verzekerde ik hem oprecht, en hij gaf zich gewonnen. Toevallig hoefde ik alle keren dat ik in de getuigenbank moest verschijnen dat woord niet één keer te gebruiken.

Het volgen van de politieopleiding was precies zoals ik me een chique kostschool voorstelde. Zodra je de poorten binnenkwam, was je met je eigen mensen in een afgeschermde wereld. Een stille rust omringde je. Enorme, prachtig verzorgde gazons met hier en daar schitterende bloembedden omringden het oude kasteel dat stil het komen en gaan van eeuwen stond gade te slaan. Voor alles wat je nodig had werd gezorgd, tot onze zwarte panty's toe. De docenten waren politiefunctionarissen en de enige burgers waren de huishoudelijke staf en de dokter van het dorpje daar, die ons een les kwam geven over hoe je een kind ter wereld brengt. Ik hoopte stilletjes dat ik nooit de diensten van sommige collega's nodig zou hebben, als je op hun reactie zou moeten afgaan. Een paar renden de leszaal uit; een paar anderen vielen letterlijk flauw en gleden van hun stoel. Met sommige meisjes was het niet veel beter gesteld en ik hoorde iemand mompelen: 'Jezus wat walgelijk!' Er klonk een huivering in haar stem door. Ik kon het haar niet echt kwalijk nemen: de film van de bevalling die we zagen was heel oud, de dokter had een rood rubber schort om en een grote, vierkante, witte gootsteenbak was de enige apparatuur die te zien was. De moeder in kwestie had klaarblijkelijk al heel wat keren een kind ter wereld gebracht, want de baby die wij geboren zagen worden viel er praktisch uit. De vrijdagmiddagen waren voor mij echter een beproeving. Brigadier Mc'Goven gaf ons les over de Verkeerswet. 'Motorrijtuigen zijn alle mechanisch voortgedreven...' Hij had een lage, monotone dreunstem en in het algemeen was ik, in de warme lesruimte, na een volle week met afstanden van vijf kilometer hardlopen, circuittraining en oefeningen op de paradeplaats ontzettend moe. Ik had geen enkele belangstelling voor voertuigen, de categorie waartoe ze behoorden en of ze geschikt waren voor het doel waarvoor ze bestemd waren; mijn interesse richtte zich op kinderbescherming en onzedelijkheid. Meestal had ik de grootste moeite mijn ogen open te houden en vaak dommelde ik weg om op te schrikken door de scherpe elleboog van mijn buurvrouw. Na zes weken was het enige wat ik van die lessen had meegenomen hoe je kon onthouden welke dieren de verschillende wetsartikelen omvatten. Het enige dat ik me moest herinneren was het zinnetje 'Hoe kan een autobestuurder goede mensen zien doodgaan': 'How Can A Motorist See Good People Die'. De eerste letter van ieder woord had betrekking op een dier, 'Horse, Cow, Ass, Mule, Sheep, Goat, Pig en Dog' – paard, koe, ezel, muilezel, schaap, geit, varken en hond.

Op de politieacademie ontmoette ik Shiona, die mijn vriendin zou worden en dat tot op de dag van vandaag nog is: zij is de zus die ik nooit gehad heb. Ik zal nooit de toespraak aan het eind van onze cursus vergeten, toen we allemaal vijf minuten over een willekeurig onderwerp moesten spreken. Ik koos: 'De onmenselijkheid van de mens voor onze beste vriend, de hond,' en had geen enkel succes. Shiona's onderwerp was het zinnetje 'Weet je.' Het was dolkomisch, weet je.

'Denk eraan, mannen, vrouwen zijn net kippen: het witte vlees is het malst.' Ik vond zijn flauwe mop helemaal niet grappig en zei hem dat ook. 'Ons agentje Stones heeft geen gevoel voor humor,' deelde hij sarcastisch de nu zwijgende klas mee. Bij die nog flauwere opmerking brak wat gegeneerd gegiechel uit. In de loop van mijn carrière zou ik nog vaak zo worden aangesproken. Maar, zoals ze zeggen, 'Schelden doet geen pijn...' De klas wachtte op een weerwoord; ik liet het gaan.

De persoon die de macht had me aan het eind van de cursus te laten slagen of zakken had ik al onmiddellijk tegen me ingenomen. De lessen met deze instructeur werden een machtsstrijd tussen hem en mij. Hij was arrogant, bevooroordeeld en, zoals de meeste jongere instructeurs, onuitstaanbaar zelfingenomen. Ik weigerde te lachen om zijn 'geestige' gevatheid omdat het niet grappig wás en hapte niet op zijn gepest.

De dag van onze laatste beoordeling was een warme, zonnige dag en brigadier Blair ging met de klas naar buiten. Een paar van ons zaten onder een enorme eikenboom op een van de prachtige gazons vóór het kasteel. Een stuk of vier van de pauwen van de commandant liepen statig en elegant om ons heen. Enkele mannelijke klasgenoten gooiden met een bal, sommigen liepen alleen, maar de meesten zaten in kleine groepjes zenuwachtig te wachten op hun oproep om naar de andere kant van het gazon te komen om het oordeel van brigadier Blair over onze prestaties te horen. Sommige vrienden plaagden me. Iedereen verwachtte dat ik bij mijn laatste beoordeling de grond in geboord zou worden. Ik was een beetje ongerust, maar kon toch niets meer doen om nog iets goed te maken.

Jan McGilvery kwam stralend weer bij ons terug. 'Hij is helemaal zo erg nog niet.' Ze had het beter gedaan dan ze had verwacht; ik was blij voor haar. 'Jij bent de volgende, Evvy.'

Ik haalde eens diep adem en liep zelfverzekerd naar hem toe.

'Zo, Evelyn, ga zitten.' Dit was de eerste keer dat hij me bij mijn voornaam noemde. Ik wist niet of dat nu iets positiefs was of niet. Ik zette me schrap en ging op de lege stoel tegenover hem zitten. Zorgvuldig streek ik mijn rok glad en kruiste mijn enkels.

'Kijk maar niet zo bezorgd,' zei hij. Ik glimlachte zwakjes naar hem en wenste dat hij verderging.

'We zijn het lang niet altijd met elkaar eens geweest, maar ik geloof vast en zeker dat jij het in je hebt om een verduiveld goede politieagente te worden.'

Ik zweeg; ik wist niet goed hoe ik op deze plotselinge, onverwachte lof van zijn kant moest reageren. Ik wachtte op het 'maar'; dat kwam niet. Kennelijk had ik leiderscapaciteiten, kon ik op volwassen en verantwoordelijke wijze 'reageren' op situaties en was ik in staat om in een crisis de 'leiding' te nemen.

We paradeerden vóór de hoge omes van de academie, de inspecteurs die we hadden gehoopt niet te zien, en het hoofd van de basisopleiding, die de bijnaam 'cijferman' had en hoofdinspecteur van politie was. Onze beste commandant, een gepensioneerde kolonel uit het leger die de vorige avond op ons afsluitingsfeest met me gedanst had, nam de parade af.

'Dames,' bromde hij in mijn oor, 'behoren de vier P's te zijn – *pretty, pink and permanently pregnant.*' – aardig, roze en voortdurend zwanger.

Ik glimlachte beleefd; de man was een dinosaurus en ik dacht: ja, en jij bent de vier R's: *ridiculously rotund, ruddy and rude* – belachelijk bolrond, rood en grof. Brigadier Kernan had zijn best gedaan om ons te leren marcheren voor deze parade en trots, gretig en stralend hielden we strak pas op de plaats. Ik daag iedereen uit te proberen op Herb Alpert en zijn Tijuana Brassband te marcheren, vooral als er toevallig ook nog eens een afgedwaalde pauw loopt die meer op de maat van de muziek scheen te lopen dan wij. Het was voorbij en we namen afscheid. Zoals het politiemotto in het Gaelic luidde: BI GLIC-BI GLIC: *Be wise, be circumspect* – Wees verstandig, wees op je hoede. Vol zelfvertrouwen, verstandig en op onze hoede verlieten we de opleiding. Hoeveel zouden het volhouden tot volgend jaar, wanneer we voor onze laatste cursus van drie maanden weer bij elkaar zouden komen? vroeg ik me af.

175

16

Op hetzelfde moment dat ik het armoedige gangetje in stapte herkende ik onmiddellijk de noodlottige stank van armoede. De geur van ongewassen lichamen probeerde die van een veel gebruikte, vette frituurpan, een schurftige hond, urine en volle, vuile asbakken te overheersen.

Ginnie Clarke probeerde recht uit haar hevig gezwollen blauwe ogen te kijken. 'Hij meende het niet, wijfie,' zei ze tegen me in een nieuwe poging de bruut te verdedigen die haar voor de zoveelste keer een hevige aframmeling had gegeven.

In de drie maanden sinds ik in de nieuwe stad gestationeerd was, was Ginny een van mijn 'regelmatige' klanten geworden. Met een deprimerende regelmaat waren Ginny's buren gedwongen de politie te bellen wanneer haar gegil door de donkere nacht snerpte.

'Ginny, toe. Je moet hem aangeven. Een dezer dagen vermoordt hij je nog,' smeekte ik haar.

Maar Ginny wilde alleen maar dat ik hem buiten de deur hield tot hij tot bezinning kwam. Trouwens, meestal had haar man tegen de tijd dat we bij haar waren de benen genomen.

Ginny had Peter Clarke ontmoet nadat haar eerste man bij een verkeersongeluk om het leven was gekomen. Ze had alles: een prachtig huis, twee leuke zoons en een liefdevolle man die goed voor zijn gezin zorgde. Binnen de kortste keren had Peter Clarke het geld van de verzekering erdoor gejaagd. Ginny begon mee te doen aan de drinkorgiën van haar man om de pijn en de vernedering van haar behoeftige omstandigheden te verdoven, en het duurde niet lang of ze raakte haar huis kwijt. Ze kon de zorg voor haar kinderen niet meer aan en raakte zo haar zoons ook nog kwijt; de sociale dienst nam de zorg over. Ik keek de mistroostige kamer rond die van alle comfort verstoken was. De stoel waarin ze in elkaar gedoken zat had een onbestemde kleur en de armleuningen waren zwart en glimmend van jaren oud vuil. Onder het raam stond een kleine, smerige keukentafel met rood formicablad die bezaaid lag met oude kranten waarin frites met vis had gezeten, met daarnaast een overvolle asbak, lege, Carlsberg Special bierblikjes en een halfvolle fles Lanlic versterkte wijn. Samen met een oude televisie op een paar bakstenen vormde dat het hele meubilair in de kamer. Er waren geen schilderijen, versieringen of zelfs een spiegel. Een zwak, kaal peertje dat aan een smerige draad van het plafond hing deed zijn uiterste best de hele kamer te verlichten. Ginny was in de veertig, maar zag er eerder uit als zestig, en terwijl ik naar haar magere, toegetakelde lichaam keek voelde ik een enorme woede jegens haar man, een overweldigend medelijden met haar en frustratie dat ze geen hulp wilde accepteren.

'Ach, wijfie, wat heeft het voor zin? Ik zal gauw genoeg dood zijn en helpen doet het toch niet.' Er klonk geen emotie in haar stem; ze was totaal verslagen en haar geest was gebroken.

'Ze vindt het zeker fijn,' zeiden sommige jongere agenten op het bureau wanneer hun pogingen om een gewelddadige echtgenoot, soms zelfs een zoon, in staat van beschuldiging te stellen werden tegengehouden door het slachtoffer.

Hoe leg je mensen die nooit met huiselijk geweld in aanraking zijn gekomen uit hoe verwoestend het is – hoe het een volledig gebrek aan eigenwaarde creëert en het onvermogen om verder te kijken dan het volgende pak slaag? Vaak gaven

177

vrouwen zichzelf de schuld en zeiden dat ze het geweld hadden uitgelokt. 'Het is mijn eigen schuld, ik heb hem op de kast gejaagd,' hoorde ik vaak van hen wanneer ze weigerden een aanklacht in te dienen. Bijna zonder uitzondering waren de mannen dwingelanden, lafaards en een en al zelfmedelijden.

'Het kwam door haar,' was vaak het antwoord op de beschuldiging van geweldpleging bij de zeldzame gelegenheden dat we erin slaagden het noodzakelijke bewijs te krijgen.

Erin Pizzy, een moedige en openhartige journalist pakte de zaak van 'mishandelde' vrouwen in het begin van de jaren zeventig op en opende in 1971 het eerste opvanghuis. Maar daar waren er veel te weinig van en schandelijk genoeg waren ze afhankelijk van particuliere giften.

Mijn werk nam me volledig in beslag en er bestond maar weinig anders voor me. Ik bracht meer tijd door met Bill, mijn toegewezen partner, dan met Derek. Derek was er heel blij mee dat ik werk had waarin ik plezier had. Ik was veel gemakkelijker in de omgang dan eerst en hij hielp me in huis zoveel mogelijk. Het feit dat ik zoveel buitenshuis was betekende dat hij op de bank kon liggen en zo vaak voetbal en cricket kon kijken als hij wilde. Hij maakte zich er geen zorgen over dat ik hoofdzakelijk met mannen samenwerkte; hij vertrouwde me volledig en ik gaf hem geen reden tot bezorgdheid, in tegenstelling tot een aantal van mijn collega's. De mannen in mijn ploeg plaagden ons genadeloos, maar wij lachten het weg met een zuiver geweten; onze relatie was hecht maar altijd strikt beroepsmatig en als zodanig vormden wij een goed team.

Ik mocht alle mannen met wie ik dienstdeed heel graag.

Een van hen was Sandy. Hij beheerde het 'theepotje' en bracht meer tijd door met het personeel achter de broek zitten voor hun contributie van één pond per week dan met politiewerk. Hij was een blozende, lange man met een dikke bos rood, krullend haar en hij rommelde zich door de laatste tien jaar van zijn dertig dienstjaren. Hij zou een volledig pensioen krijgen terwijl hij jong genoeg was om daar nog van te genieten en hij kon dat moment niet afwachten. Op een dag moest Sandy een vrouw de boodschap brengen dat haar man zojuist in het ziekenhuis was overleden, en hij vroeg mij of ik met hem wilde meegaan. Gebruikmakend van de gelegenheid om me wat 'praktische' training te geven, legde hij de procedure voor zulke momenten uit. 'Je vraagt haar dus niet of ze de weduwe McLean is,' instrueerde hij me. Ik wist niet of hij het serieus bedoelde, en nog steeds brandend van schaamte van de keer dat ik met meneer Higginbottom in de fabriek kennismaakte, zei ik niets.

Toen we over het paadje door het keurig bijgehouden voortuintje liepen, zette Sandy zijn pet af, zoals de gewoonte was bij dit soort gelegenheden.

'O, God, het is Jimmy,' fluisterde de vrouw van middelbare leeftijd toen ze ons op de stoep zag staan. We slaagden erin haar op te vangen toen ze achteruit de gang in wankelde. Al snel leerde ik mijn gezichtsuitdrukking aan te passen als we bij oppassende burgers langsgingen; in die dagen betekende politiebezoek volgens de meeste mensen slecht nieuws.

Grote John McFarlane was ruim 1.98 meter, maar desalniettemin een vriendelijke reus totdat je hem boos maakte. De grootste hekel had hij aan de pedante automobilist die 'een goede vriend van de hoofdcommissaris van politie' was. Als je zou afgaan op het aantal 'vrienden' dat hij had, moet onze commissaris een uiterst populair man zijn geweest!

Jock Turner, een van onze inspecteurs, een ex-militair, kreeg er nooit genoeg van ons verhalen over zijn diensttijd in India te vertellen. 'Je kon Calcutta twee dagen ver op zee nog ruiken.'

Op een dag stuurde brigadier Douglas, het hoofd van onze ploeg, of Dougie, zoals we hem noemden, me erop uit om na talloze klachten van de bewoners van een zeer beruchte woon-

179

wijk zwerfhonden van de straat te halen. Hij had er uiteraard geen idee van dat ik, sinds ik als kind in Fatima Mansions zo erg door Rex was gebeten, doodsbang was (en dat nog steeds ben) voor vreemde honden. Tot mijn eeuwige schande was het enige waarmee ik voor de dag kwam een schattig jong hondje dat kwispelend naar me toe rende; ik greep hem bij zijn lurven, maar brigadier Douglas vond het absoluut niet grappig.

Op een dinsdagavond toen Bill en ik terug naar het bureau reden om de nachtdienst over te dragen, kwam opeens de radio tot leven.

'Foxtrot controlepost over.' De telefoniste riep een team op om naar een geval van huiselijk geweld te gaan.

Niemand reageerde; dat soort gevallen stond erom bekend dat ze moeilijk te hanteren waren. Vaak stonden de betrokken partijen tegen de tijd dat de politie arriveerde te lachen en maakten grapjes met elkaar en zeiden dat het 'een klein misverstand' was geweest. Intussen was jouw dag wel twee uur langer geworden.

'Foxtrot controlepost, over!' De telefoniste werd kribbig; zij was ook moe. Het was een heel rustige dienst geweest, en we hadden alleen nog maar achter een paar automobilisten aan gezeten.

Met tegenzin pakte ik de microfoon op. We werden naar een adres vlakbij gestuurd. Toen we de zware glazen deuren naar het zes verdiepingen tellende flatgebouw openduwden was er geen geluid te horen. Zelfs de buren die de opschudding hadden doorgegeven waren nergens te bekennen.

'Goed, het lijkt erop of alles voorbij is,' zei ik tegen Bill terwijl we de betonnen trap naar de tweede verdieping op liepen. De deur ging op een kier open toen ik op de bel drukte. Er was geen antwoord, maar we konden binnen iemand horen. Ik riep: 'Hallo, politie!' en duwde de deur wijd open.

'Jezus Christus!' Het kwam er onwillekeurig uit. Er lagen

plassen bloed op de vloer van de gang en op de muren stonden bloederige handafdrukken. Ik hoorde een zwak gekreun
vanachter een deur vlak bij de buitendeur. Goed oplettend
dat ik niet in het bloed stapte deed ik deze deur open en zag
een vrouw met haar gezicht naar beneden in een bad vol
koud water liggen. Ze had een gapende wond in haar achterhoofd waar het bloed uit stroomde, zodat het net leek of ze
in een bad met bloed lag. Ik hield haar hoofd boven het water terwijl Bill probeerde haar man te grijpen toen hij uit het
raam van de woonkamer sprong. De afdeling recherche nam
het onderzoek over. Ik ging in de ambulance met Annie Blair
mee en Bill begon aan het rapport. We kwamen pas de volgende avond na elven thuis; Derek ving me op toen ik, terwijl ik de trap op liep, in slaap viel.

Zes maanden later stond Annie in de getuigenbank bij het
hooggerechtshof en zei tegen de rechters dat haar man, John
Michael Blair, een gewelddadige en beruchte crimineel, alleen
maar had geprobeerd het bloed van haar hoofd weg te wassen. De zaak werd niet ontvankelijk verklaard.

Later zag ik haar in de stromende regen staan terwijl ze
probeerde een sigaret te roken. Haar lelijk geblondeerde haar
zat tegen haar hoofd geplakt en het lange, rafelige litteken
was duidelijk zichtbaar.

'Zeg, Annie, volgende keer pakken we het misschien wel
anders aan, hoor,' zei ik tegen haar. Ze haalde haar schouders op; het kon haar eigenlijk niet schelen of ze leefde of
dood was. Binnen in me kookte het van woede en frustratie.
Ik zag haar man met een air op ons af komen. Annie ver-
strakte zichtbaar toen hij bezitterig zijn arm om haar schouder legde; ze was zijn eigendom en hij kon met haar doen wat
hij wilde. Hij had voor zes of zeven jaar achter slot en grendel moeten verdwijnen voor zijn poging tot moord op haar.
Hij grijnsde zelfgenoegzaam naar mij toen hij met Annie
wegliep.

Een paar jaar later kreeg hij tien jaar voor een serie geweld-dadige berovingen en ging de gevangenis in. Iedereen op het bureau was er blij om. Onze meeste 'klanten' waren kleinschalige criminelen en winkeldieven. Veel van hen waren niet 'slecht', maar alleen dom en het gebeurde nog al eens dat het er met onze vaste klanten vrolijk aan toeging. Eén jonge, luidruchtige dronkaard die al sinds zijn tiende jaar bij de politie bekend was, probeer-de op een dag toen we theepauze hadden bij ons te collecteren voor een zogenaamd 'hartaanvalfonds', zoals hij het noemde. Misschien zou het hem nog zijn gelukt ook als hij niet met een gestolen collectebus van Barnardo's onder onze neus had ge-rammeld, compleet met etiket en een foto van een 'weeskind' erop.

'Foxtrot controlepost! Foxtrot controlepost!' schreeuwde Mar-tin, onze stagiair, vanachter de radiopost door het kantoor van het bureau. Hij was een boom van een kerel, maar een van de aardigste jongens die ik ooit had gekend. Nog geen twee mi-nuten eerder hadden we hem naar de winkel gestuurd voor een paar blikjes Irn Bru en frites. Er klonk paniek en ontzetting door in zijn stem, maar wij negeerden hem, want we dachten dat het een van zijn streken was.

'Verdomme, controlepost, waar blijf je!' Hij gilde nu bijna. Onmiddellijk schoten we allemaal overeind en renden naar de voordeur van het bureau. Martin zat naast het stille, le-venloze lichaam van Murphy, een van onze 'typen'. Hij was kennelijk op weg naar binnen op de trap dood in elkaar ge-zakt. Hij had de gewoonte om te kijken wie van de vrouwe-lijke politieagenten er dienst had en, afhankelijk van wie het was, riep hij dan: 'Hé, kippetje, wat voor kleur onderbroek heb je vandaag aan? Sexy ding dat je bent!' Bij mij infor-meerde hij altijd beleefd naar mijn gezondheid en maakte een praatje over het weer. Ik had hem gedreigd met opsluiting als hij me nog eens zoiets persoonlijks vroeg. Maar ik mocht de oude dwaas wel, en dat gold voor de meesten van het bureau. Voorzichtig liep ik met Martin naar binnen en zette voor hem een kop sterke thee met veel suiker. Hij trilde als een espenblad; dit was het eerste lijk dat hij had gezien. 'Ik heb hem niet aangeraakt, eerlijk niet, Evvy.' Dat was bij niemand opgekomen en dat zei ik hem ook.

Ongeveer een uurtje later, toen de rest van het team op het bureau terugkwam, plaagden ze Martin genadeloos. Eén grappenmaker vertelde hem dat hij de omtrek van het lichaam moest natrekken met het gele krijt dat we bij verkeersongelukken gebruikten. 'De recherche zal precies willen weten waar hij is gevallen,' zeiden ze tegen hem. Murphy zou de eerste zijn geweest om toe te geven dat hij geen adonis was, maar bij Martins interpretatie van zijn dode lichaam zou hij zich, denk ik, hogelijk beledigd hebben gevoeld.

Een jaar of tien later hoorde ik dat Martin en de brigadier van wie ik rijles had gehad op slag gedood waren toen ze de controle over het stuur hadden verloren van een nieuwe patrouillewagen die zij aan het beproeven waren. Ik huilde om het verlies van zo'n helder licht dat tijdens mijn levensreis op mij had geschenen; ik vroeg Onze-Lieve-Vrouwe om voor hen beiden te zorgen.

De broederschap van de kleine misdaad accepteerde onze respectieve posities in het grote wereldplan. We kwamen aan het eind van een tijdperk waarin de meeste mannen er niet over zouden piekeren een vrouw te slaan, en de mannen in mijn ploeg zorgden ervoor dat ik nooit in gevaar verkeerde. Het publiek had nog steeds veel achting voor de politie en wij werden gerespecteerd. De jaren zeventig waren nog steeds een tijd van betrekkelijke onschuld, en geweld hoorde niet bij het leven van alledag. Niets wees er op dat politieagenten nog eens met kogelvrije vesten aan op onze luchthavens zouden patrouilleren. Of dat er door rassenrellen in onze grote en kleine steden vernielingen zouden worden aangericht, dat drugs een verwoestende invloed op de woonwijken in de binnenstad zouden vormen en dat gewone burgers konden verwachten minstens één keer in hun leven het slachtoffer van misdaad te zijn. Het belangrijkste probleem waarmee wij te maken hadden was de nieuwe rage van jongeren om lijm te snuiven. Op een avond trof ik een jongen in een trappenhuis aan die volkomen in de war was. Een leeg zakje chips vol met grijze houtlijm lag naast hem. Zijn mond en neus zaten onder het kleverige spul. Het was een grote knul en Bill en ik sjouwden hem naar de auto en brachten hem thuis. 'Klein rotjong dat je bent,' schreeuwde zijn moeder tegen hem. Ik keek met grote ogen toe hoe zij haar Scholl-klompen uittrok, op een stoel ging staan en haar zoon met een van de houten klompen klappen tegen zijn hoofd begon uit te delen. Ondertussen vertelde ze hem wat zijn vader hem zou aandoen wanneer hij thuiskwam. Daarna hebben we nooit meer iets met deze jongen te maken gehad.

De meeste ouders luisterden in die tijd nog naar de politie en namen advies van hen aan. Als de politie aan de deur kwam was daar nog steeds een stigma aan verbonden.

Voor het eerst in mijn hele leven was ik volkomen gelukkig en voldaan. Ik had het gevoel dat niets dat kon bederven.

17

'Ben jij het, kind?' Het was de onmiskenbare stem van Jessie en ze was duidelijk van streek. Mijn hart bonkte. Waarom belde ze me op? Was papa overleden of zat iemand in de problemen? Een paar lange tellen bleef ze zwijgen. 'Is er iets aan de hand?' riep ik schril in de hoorn in de verwachting dat er problemen waren. Door haar tranen kostte het me moeite haar te verstaan. Ik had Jessie nog maar één keer eerder zien huilen en ik maakte me ongerust. Het enige dat ik kon opvangen was 'minnares' en 'eenden'. 'Hij zei dat ik zijn huishoudster kon blijven.' De verbinding werd verbroken.

Ik besloot Jamie Logan te bellen. Zijn boerderij lag even voorbij papa's huis langs dezelfde weg. Hij was degene geweest die haar de eenden en kippen had gegeven waaraan ze al haar liefde gaf, en Jessie was met hem en zijn vrouw bevriend geraakt voordat ik van het eiland was weggegaan. Ik hoopte dat papa geen ruzie met hem had gehad zoals hij met bijna alle buren had gehad naast wie hij door de jaren heen had gewoond. Ik hoopte dat Jamie enige klaarheid kon brengen in het vreemde gesprek dat ik zojuist met Jessie had gevoerd. Ik wilde niet het risico lopen haar thuis te bellen voor het geval papa daar was.

'Ha, die Jeannie. Zeg, zou je met nummer van Logans boerderij op de Old Glen Road even kunnen geven?' Ik liet me een paar minuten door Jeannie ondervragen voordat zij me doorverbond.

'Jamie, ik hoop dat je het niet erg vindt dat ik je bel.' Ik wist dat Jeannie nog steeds luisterde; ik zette de val. 'Ik geloof dat de telefoonlijn naar mijn vader het niet doet.' Onmiddellijk onderbrak Jeannie het gesprek en zei me dat ze er meteen naar ging kijken.

'Het is in orde, Jeannie, laat nu maar even zitten. Bedankt en tot ziens.' Door de scherpe toon van mijn stem begreep ze dat ik privacy wilde en ik hoorde ook inderdaad de klik die me zei dat ze zich nu in de zaken van een ander ging mengen.

'Jamie, is er iets aan de hand met Jessie? Ze leek erg van streek toen ze me een paar minuten geleden opbelde.'

Ik hoorde Jamie een diepe zucht slaken en hij wachtte even voor hij antwoord gaf.

'Nou ja, het gerucht gaat dat je vader het met een weduwe uit Bowmore houdt en dat je moeder daar ziek van is.' Hij zei verder dat ik niet moest denken dat hij zijn neus erin wilde steken, maar dat Jessie de laatste tijd vreemde dingen had gezegd. 'Volgens mij staat ze op instorten.'

Ik bedankte hem en vroeg of hij wilde proberen om Jessie in het volgende uur naar zijn huis te krijgen.

Jessie huilde nog steeds toen ik tegen haar praatte. 'Hij gaat met dat wijf trouwen.' Terwijl ik naar haar wanhoop luisterde had ik zielsmedelijden met haar. Hoewel zij en mijn vader elkaar niet konden luchten of zien, kon ze zich niet voorstellen hoe ze op haar leeftijd nog overnieuw zou moeten beginnen. 'Hij zei dat ik zijn huishoudster kon zijn. Ik weet niet wat ik moet beginnen.' Er waren tijden geweest dat ik een hekel aan mijn vader had of bang voor hem was – zoals de keer dat hij schreeuwend en brullend mijn huis op Islay kwam binnenstormen en dreigde me te slaan omdat Maurice was vertrokken – maar ik had hem nooit gehaat. Nu voelde ik diepe minachting voor de man die een vrouw aan de kant wilde zetten die bijna twintig jaar voor hem had gezorgd en ja, tot op zekere hoogte, ook voor zijn kinderen. Hij moest hebben geweten dat zijn pathetische aanbod dat zij zijn huishoudster mocht blijven zou worden geweigerd. Misschien dacht hij dat het, als ze het had aangenomen, zijn geweten zou sussen. Arme Jessie, ik kon me niet voorstellen hoe ze zich voelde, maar het had haar heel diep geraakt. 'Je mag bij Derek en mij komen,' zei ik tegen haar. Ik had mijn tong wel kunnen afbijten op het moment dat ik mezelf de woorden hoorde zeggen, maar ik kon haar ook niet de rug toekeren. Ik zei haar dat ik haar de volgende dag zou opbellen en dat deed ik ook. 'Neem alleen het hoognodige mee. Ja, je mag Soldier ook meenemen. Nee, de eenden en de kippen niet. Die neemt Jamie wel mee naar de boerderij als je weg bent.' Het kostte me heel wat moeite haar ervan te overtuigen dat ze kon vertrekken en dat ze opnieuw kon beginnen. 'Je kunt gewoon niet in die situatie blijven,' zei ik tegen haar. Ik wist dat ik een bejaardenwoning voor haar zou kunnen krijgen van de New Town Development Corporation, de woningbouwvereniging voor de nieuwe stad; ze probeerden de stad te bevolken en als mijn 'moeder' had ze recht op een woning. 'Maurice haalt je aan de andere kant op, dus zorg dat je op die veerboot bent,' waarschuwde ik haar. Ik vertelde haar dat hij achthonderd kilometer vanaf Berkshire zou rijden. Ik was blij dat Maurice had besloten niet naar het eiland over te varen; dat zou moord en doodslag zijn geworden.

Niet lang daarna zag ik een grote, door de motten aangevreten bontmantel mijn paadje op lopen en toen ik ernaartoe ging zag ik dat Jessie erin verborgen zat. Ze verzette zich niet toen ik haar een tijdlang in mijn armen sloot en terwijl ik mijn warme, gezellige huis met haar binnenliep zag ik stille tranen over haar magere, afgetobde gezicht lopen. Haar humeurige hondje volgde haar op de hielen.

'Waar zijn die voor?' Ik had besloten de enorme uitstalling van kleine, bruine pillenpotjes die keurig op een rij op de toilettafel stonden door te nemen.
'Voor mijn black-outs.' Ze was erin geslaagd de artsen op Islay ervan te overtuigen dat ze epilepsie had en nam behoorlijke doses fenobarbitol met nog een hele serie pijnstillers en wie weet wat nog meer.

Ik spoelde het hele zaakje door de wc en maakte een afspraak voor haar met mijn eigen huisarts. Jaren later, toen papa me vertelde dat ze hem het 'lazarus' had laten schrikken en 'knetter' was geworden, besefte ik onmiddellijk waarom. Fenobarbitol heeft een zeer sterk effect op de hersenen.

De dokter liet me de röntgenfoto's zien. 'Ze heeft een behoorlijke groot carcinoom op haar rechterlong, maar het is te opereren.' Ik verbaasde me niet al te zeer; die blafhoest van haar was met de jaren steeds erger geworden en ze was nu nog maar vel over been. Maar ze klampte zich hardnekkig vast aan haar mening dat ze slechts één long had.

'Jessie, ik heb de röntgenfoto's gezien en je hebt heel duidelijk twee longen.' Het was ergerlijk.

Ze woonde inmiddels een paar maanden bij ons en bezorgde absoluut geen last. Uit zichzelf deed ze zelfs het huishouden en de was, en was blij zolang ze niet hoefde te koken of boodschappen te doen. Ik moest haar echter voorbereiden op zelfstandig wonen en ik wist dat ze daar als een berg tegenop zag. Buitenshuis werd ze een trillend wrak. Ze scheen opgelucht dat ze een ernstige ziekte had. Met Dereks hulp haalde ik haar uiteindelijk over om de levensreddende operatie te ondergaan. Ze lag bijna zes weken in het ziekenhuis voordat ze de operatie wilden aangaan; ze moest eerst van het roken af en langzaam op krachten komen. Alle aandacht en zorg van het ziekenhuispersoneel brachten haar tot leven en ik zag haar ogen weer sprankelen.

Bij de orkaan die in 1976, op mijn verjaardag, 2 januari, over Groot-Brittannië woedde, kwamen tweeëntwintig mensen om het leven. Het zou een jaar van uitersten in iedere betekenis van het woord worden, niet in het minst voor mij.

Jessie kwam snel en opmerkelijk goed van haar operatie bij. Toen ik op de afdeling recovery kwam, had een van de verpleegsters haar verteld dat ze bezoek had en ik hoorde haar zeggen: 'Dat zal mijn dochter zijn.' Ik dacht iets van trots in haar stem te horen. 'Vlug, geef me mijn tanden! Ik wil niet dat ze me zo ziet.'

Het was vreemd dat ze zoiets zei. Behalve dat dit de eerste keer was dat ze over mij als haar 'dochter' praatte, had ik Jessie in alle mogelijke omstandigheden gezien, en waarom het er voor haar iets zou toe doen als ik haar zónder tanden zag was me een raadsel.

Toen ze mij zag, zei ze: 'O, ben jij het,' met duidelijke teleurstelling in haar stem.

Ik schreef dit uitzonderlijke gesprek toe aan het effect van het verdovingsmiddel. Ik dacht geen minuut dat Jessie over mij van gedachten veranderd was. Ik wist zeker dat ze in het geheim nog steeds rancune ten opzichte van mij voelde; bij verschillende gelegenheden had ik toevallig opgevangen dat ze tegen Derek denigrerende opmerkingen over mij maakte.

Terwijl ze bij ons thuis herstelde, ging ik naar de New Town Development Corporation om een huis voor haar aan te vragen. Al binnen enkele weken kreeg Jessie een huis met twee slaapkamers toegewezen op een paar minuten loopafstand van onze straat, in een klein nieuwbouwproject dat volgens het model van een Spaans dorp was gebouwd. Er waren kleine straatjes en onverwachte pleinen en de huizen waren in verzengend terracotta, verblindend wit en zonnig geel geschilderd. Helaas werkte het neerzetten van zo'n ambitieus en moedig project in een van de koudste en natste delen van Groot-Brittannië niet helemaal zoals de planologen voor ogen hadden gehad. Later kwam er in de wijk veel misdaad voor en werd het een van de beruchtste ontmoetingsplaatsen voor de plaatselijke reltrappers, die door de doolhof van straten en steegjes tal van ontsnappingsroutes hadden. Desondanks was Jessie opgetogen over haar nieuwe huis, en vooral het feit dat ze kon doen en laten wat ze wilde. Ze had het gedaan! Ze was een nieuw leven begonnen. Ik voelde de last van mijn schouders glijden.

Het is niet helemaal eerlijk om te zeggen dat ze een last was. Ze had geprobeerd de volmaakte gast te zijn en bleef zoveel mogelijk op haar kamer, wat mij een schuldgevoel bezorgde, en ze verlangde niets van Derek of mij.

Omdat ik zoveel bejaarde patiënten had verpleegd, was ik tolerant voor Jessie. Ik wist hoe moeilijk oude mensen konden zijn, en zij was allesbehalve moeilijk.

Hoewel ik dus wel voor Jessie zorgde, waren volwassen kinderen tegenwoordig te druk met hun eigen leven bezig om nauw betrokken te zijn bij hun bejaarde ouders. De tijd van de uitgebreide familie was voorbij. Inflatie was niet te beheersen en de rentetarieven waren torenhoog waardoor veel vrouwen, áls ze al een baan konden krijgen, gedwongen waren om fulltime te werken: de werkloosheid had een record van anderhalf miljoen bereikt. Vroeger bleven de meeste getrouwde vrouwen thuis en zorgden voor het gezin. Nu raakten kinderen eraan gewend dat ze na schooltijd voor zichzelf moesten zorgen; het 'sleutelkind' was geboren. Ouderlijke discipline werd niet meer toegepast en de cultuur van opstandigheid en ruzie zoeken stond in de kinderschoenen. Een nieuwe strijdlustige stemming kreeg de overhand.

Geschokt en woedend was ik toen Bill en ik op een avond opdracht kregen een bende jongeren aan te pakken die zich bij een huis verzameld hadden en een vrouw lastigvielen die bij haar stervende moeder. 'Sodemieter op, kutsmerissen,' schreeuwde een van hen naar ons terwijl ze brutaal wegslenterden. Nou, ik was een van de 'aangesprokenen' en ik voelde me zwaar beledigd; we arresteerden de jongen. Zijn vader zei uitermate neerbuigend: 'Mijn beste mevrouwtje, mijn zoon zou zich nooit zo gedragen. Waarom gaan jullie niet achter een paar échte misdadigers aan?' Ik had het gevoel of hij me bijna een goedkeurend klopje op mijn hoofd had gegeven; hij zou de jongen geen straf geven. Ik besloot zijn lieve, aardige zoontje huisvredebreuk ten laste te leggen.

De officier van justitie van ons district vroeg me of ik de rechtbank precies wilde vertellen wat de verdachte had gezegd.

'Sodemieter op, k-smerissen, edelachtbare,' zei ik, en voegde er zedig aan toe dat de jongen het volledige woord had gezegd. Hij kreeg een boete van twintig pond, te betalen binnen een tijdslimiet; zijn vader keek me dreigend aan en betaalde de boete onderweg naar buiten.

De uitdrukking 'buren uit de hel' was nog niet in het dagelijkse spraakgebruik opgenomen. We hadden dat soort mensen wel, maar het waren er niet veel. In het algemeen waren het gehuwde paren die altijd ruzie hadden en tegen elkaar schreeuwden. Meestal had een rustig praatje van de politie het gewenste effect voor de buren. Maar er was één persoon in een klein blok flatgebouwen niet ver van het politiebureau die onmogelijk kon begrijpen dat zijn manier van leven alle mensen om hem heen zo negatief beïnvloedde. Willie Patterson was stokdoof en de trotse eigenaar van een diepe basstem die als Donald Duck met een zere keel klonk. Hij was eind zestig, had een mond zonder tanden en een gelaatskleur als een biet. Zijn gezicht was scheef als gevolg van een beroerte die hij een paar jaar daarvoor had gehad. De collega's in mijn ploeg waren voor het gros van mening dat hij geen groot licht was en volkomen ongevaarlijk, en wij mochten hem graag. Hij was een regelmatige gast en we hielpen hem allemaal met het invullen van zijn talloze officiële uitkeringsformulieren. Hij had wat je tegenwoordig 'leerproblemen' zou noemen. Willie leefde zijn leven uit de pas met de rest van de wereld en deed vaak of het holst van de nacht klaarlichte dag was.

Die zomer was de warmste sinds 1772 en moet de kracht van de criminele broederschap hebben ondermijnd; wij hadden het heel rustig. Met enig plezier vroegen we ons af wat de nieuwe minister van Droogte kon doen om regen te brengen. In sommige delen van Engeland droogden de watervoorraden op en in de straten van Yorkshire werden standpijpen geïnstalleerd.

Toen ik bij de politie kwam was er een 'vrouwenafdeling'. Wij kregen vijf procent minder salaris betaald dan de mannen. Dat vonden wij niet erg. Wij hoefden ook niet naar gevaarlijke voorvallen zoals caféruzies. Wij hoefden niet urenlang op koude kruispunten het verkeer te staan regelen. Enkele oudere politieagentes waren in hun hele diensttijd niet één keer bij een incident aanwezig geweest; zij werkten op het bureau of stonden zwijgend naast vrouwelijke gevangenen die ondervraagd werden door hun mannelijke collega's en ze droegen kleine kinderen naar politieauto's.

Zonder het met ons te overleggen – en waarom zouden ze ook? – besloot de regering dat we gelijke betaling behoorden te krijgen. Dat was tenslotte de wet voor alle andere industriële sectoren. De voorwaarde was echter wel dat wij ons bij de meerderheid van de politie moesten aansluiten en dezelfde taken moesten uitvoeren.

'Jim,' zei ik knarsetandend tijdens een verhitte discussie gedurende de theepauze. 'Als ik vijf procent meer salaris krijg, krijg jij dan vijf procent minder dan je nu krijgt?' Enkele oudgedienden stoorden zich eraan dat ze nu met 'meiden' moesten gaan werken, maar gaven zich niet bloot. Jim was nog geen zes maanden bij de politie. Hij had in het leger dienstgedaan en was daar na negen jaar afgezwaaid. Zijn diensttijd telde mee voor zijn politiepensioen. Hij had over alles een mening, een grote mond en leefde wat werkende vrouwen betreft in het verleden. 'Daar gaat het niet om.' Hij schreeuwde nu, altijd een teken dat hij in de discussie aan de verliezende hand was en zich niet meer kon beheersen.

Ik ging staan om te vertrekken en toen ik bij de deur was hoorde ik een politieagente van zijn ploeg hatelijk zeggen: 'Ik weet niet waar het met de politie heen gaat als ze ordinaire busconductrices aannemen.' Huilend sloeg ik op de vlucht, me afvragend of iedereen er zo over dacht. Heel even was mijn blijdschap vergald.

Hoofdinspecteur Jean Cunningham ontbood me naar het hoofdbureau van politie. Alle korpsleden waren als de dood voor haar. Ze had een reputatie die niet onderdeed voor welke harde kerel dan ook, en ze was onbevreesd in haar bejegening van anderen, misdadiger of agent. 'Ga zitten, meisje, en maak je geen zorgen.' Jean Cunningham beschouwde de vrouwelijke agenten als 'haar meisjes' en was ontstemd over het feit dat we nu onder de inspecteurs van de bureaus ressorteerden. Ze had met hand en tand gevochten om haar 'meisjesafdeling' intact te houden. Ze volgde ons allemaal nauwgezet, bezocht de districtsbureaus en wist heel goed dat zij de rang had om ervoor te zorgen dat wij goed werden behandeld. 'Een paar van mijn meisjes zien er grauw en vermoeid uit,' hoorde ik haar een keer heel scherp tegen inspecteur Turner zeggen. Ze ging verder en zei hem dat ze hem persoonlijk voor ons welzijn verantwoordelijk achtte. Ze besefte denk ik niet dat ze de mythe in stand hield dat we tere bloempjes waren die niet opgewassen wa-

193

ren tegen de taak om volledig naast de mannen te werken. Ze bedoelde het goed, maar was op haar manier een dinosaurus. Ik wachtte terwijl ze een sigaret opstak en via de intercom een pot thee bestelde.

'Goed dan, Evelyn, de academie heeft vrouwelijke instructeurs nodig en meer dan dat, ze hebben erváren, ríjpe vrouwelijke instructeurs nodig.' Ze zweeg om een slokje thee te nemen. Ik vroeg me af wat er zo angstaanjagend aan Jean Cunningham was. Ze was een grote vrouw met duidelijke wilskracht, maar dat kwam door een lange staat van dienst, een onvoorwaardelijk geloof in zichzelf en een groot zelfvertrouwen dat niemand haar kon vertellen hoe zij haar werk moest doen. Jean had het allemaal gezien en gedaan; ze genoot het respect van haar collega's, en ze wist het. Ze had iets dat ik in mezelf herkende: ze zei het zoals het was. Ze had er geen idee van hoe ze politiek moest zijn. En dat had ze ook niet nodig. Naarmate ze hogerop kwam in wat een klein districtskorps was geweest, had de 'oude garde' haar als een aanwinst voor de hoogste rangen beschouwd, dat zag ik heel goed; ze was toegewijd, efficiënt en onbevreesd en dacht niet aan trouwen.

'Hoelang ben je inmiddels getrouwd, Evelyn?' Ik zag niet in dat dit ergens mee te maken had, maar ik vertelde het haar. 'Bijna tien jaar, inspecteur.'

'Ben je van plan kinderen te krijgen?' Hoe kon ik haar zeggen dat ik dolgraag een kind had willen hebben maar dat mijn man dat niet wilde?

'Het zat er voor ons niet in, maar nu heb ik mijn werk en na al die tijd zal het, denk ik, wel niet meer gebeuren.' Ik antwoordde haar zo eerlijk mogelijk, want ik wilde niet de schijn wekken dat ik niet loyaal was ten opzichte van mijn man. Ik wist dat er geen enkele kans was dat Derek wat kinderen betrof van gedachten zou veranderen. Trouwens, het zat me nu niet al te zeer meer dwars. We praatten er zelfs niet meer over.

Jean vertelde me verder dat ik aan het eind van het jaar op het hoofdbureau gestationeerd zou worden, waar ik voorbereid zou worden op de examens die nodig waren voor de bevoegdheid om les te geven op de politieacademie. Nadat ze me toestemming had gegeven te gaan, zat ik nog zo lang perplex op mijn stoel dat het een scherp: 'Is er nog iets anders, agent?' opriep. Ik vloog overeind en salueerde. 'Nee, inspecteur. Dank u wel, inspecteur.'

Ik hoopte dat ik kalm klonk. Ik was in de wolken. Over twee jaar zou ik op mijn bureau terug zijn met de rang van brigadier en kon ik bij de recherche solliciteren. Ik was op weg.

Ik probeerde Derek gerust te stellen dat hij nauwelijks zou merken dat ik niet op het plaatselijke bureau was. 'Ik kan drie van de vier weekenden en de meeste woensdagmiddagen naar huis komen. En het is maar voor twee jaar.' Ik zag dat hij niet overtuigd was. Maar ik was niet van plan de beste kans die ik ooit in mijn leven zou hebben voorbij te laten gaan. Mijn werk bij de politie was nu mijn leven en ik zou er voor zorgen dat niets dat voor mij zou bederven. Mijn gebrekkige scholing bezorgde me heel vaak angst. Dereks baan als bedrijfsleider van een bedrijf in diervoeders hield in dat we vaak met zijn bazen uit Londen en Amerika uit moesten. Tijdens de gesprekken hoorde ik dan vaak woorden die ik alleen maar begreep door het verband waarin ze werden gezegd te analyseren. Hoewel ik goed mijn woordje kon doen en redelijk pienter was voelde ik me in het gezelschap van mensen die wel een opleiding hadden opgelaten en geïntimideerd. Ik verborg mijn minderwaardigheidscomplex door zo levendig en ad rem mogelijk te zijn; pas jaren later besefte ik dat dit het enige was dat van vrouwen in mijn positie werd verlangd. Succesvolle mannen hadden in het algemeen domme, maar decoratieve vrouwen en ik denk dat de mensen met wie Derek en ik bij deze gelegenheden omgingen dachten dat ik daar één van was. Vaak waren ze verbaasd dat ik zelf een beroep had.

Mijn talent om bij bijzondere gelegenheden levendig en vrolijk te zijn liep uit op een van de ergste ruzies die Derek en ik sinds lange tijd hadden gehad. Een van zijn grootste klanten vroeg hem om een gunst: 'Wat denk je, zou ik Evelyn voor het jaarlijkse diner van de boeren kunnen lenen?'

Wat me verbaasde was dat Derek er niet aan dacht om mij te vragen of ik met iemand die ik niet eens kende een deftig diner in het Gleneagles Hotel zou willen bijwonen. En hij vond niet dat de man er verkeerd aan deed door zoiets te vragen. Wat mij woedend maakte, was dat hij ermee instemde om mij voor de avond uit te lenen.

'Je kunt de boom in,' schreeuwde ik naar hem. 'Hoe waag je het te denken dat ik een ding ben dat je aan je vrienden kunt doorgeven?' Ik was buiten mezelf van woede.

Derek zag gewoonweg niet wat ik bedoelde. Hij deed een klant enkel een plezier. 'In godsnaam, iedereen zou nog denken dat ik je had gevraagd om met hem naar bed te gaan,' was zijn weerwoord. Hij probeerde de 'laat me nu niet zitten'-smoes. 'Luister, je zult een fantastische avond hebben. Ik rijd je erheen en haal je op. Toe, ik heb het hem beloofd.' Ik zei hem dat hij kon opdonderen en opperde dat hij als pooier misschien meer kon verdienen. Ik hoef niet te zeggen dat ik niet met iemand die ik niet kende naar mijn afspraak ging; als het enigszins mogelijk was probeerde ik dat soort sociale verplichtingen sowieso te ontlopen en verruilde met enkele mannen op het bureau zelfs dagdiensten voor avonddiensten. Zij deden me dat genoegen maar al te graag.

De opleiding voor de politieacademie zou me een heel nieuwe taal bijbrengen en me een scala aan kennis geven dat zelfs een universitaire opleiding niet kon bieden: de definitie van een *pedlar* – dat wel twintig verschillende beroepen dekte waaronder 'stoelenmatter' of 'marskramer' – of wat je te doen

stond in geval van een 'een ernstig incident'. Zou iemand die
aan de universiteit is afgestudeerd bijvoorbeeld weten wat je
moest doen bij een aardbeving? Niet dat er veel aardbevingen
in de 'Lothian region' zijn, de streek ten zuidoosten van Edinburgh. De politie-instructeurs zouden een gewillige, blanco
pagina aan mij hebben en ik stond te springen.

Ik besloot aan niemand van mijn collega's te vertellen waarom ik naar het hoofdbureau was ontboden. Hoe minder
mensen van Jean Cunninghams plannen met mij wisten, redeneerde ik, des te kleiner de kans zou zijn dat iemand mijn
kansen zou bederven; het was mijn geheim en dat zou het
blijven ook.

Eindelijk begon het te stromen van de regen en dat betekende het einde van de lange, hete zomer.

'Nou, nu ben je zwanger!' zei Derek op een avond in ok-
tober terwijl hij de naar andere kant rolde en zijn sigaretten pakte. Natuurlijk zette ik dat uit mijn gedachten. Ik was
maar twee jaar van onze tien jaar samen aan de pil geweest
en er was nooit 'paniek' geweest, laat staan een positief resultaat. Ik wist dat Derek nog steeds geen kinderen wilde; we
hadden er jaren niet over gepraat en ik had geen reden om te
denken dat hij van gedachten was veranderd. Ik was met de
pil gestopt vanwege de paniekzaaierij in de pers over de ef-
fecten op de lange termijn op vrouwen van mijn leeftijd die
rookten.

'Dat is niet bepaald het juiste ogenblik,' zei ik. Hij gaf geen
antwoord. Ik viel in slaap terwijl ik zoals talloze vrouwen op
de hele wereld om verschillende redenen lag te bidden: 'Alstublieft, God, laat me nu niet een kind verwachten.'

'Weet je zeker dat dit ons laatste lange weekend vrij is geweest?'
Bill en ik keken op het dienstrooster op het bord.

'Natuurlijk weet ik het zeker. Dat was het weekend dat je naar de doop van je nichtje bent geweest.' Mijn broer Kevin en zijn vrouw Margarette waren zo aardig geweest om mij te vragen of ik peetmoeder van hun eerste kind wilde zijn en ik voelde me zowel vereerd als dankbaar – ik zou het al goed hebben gevonden om tante te zijn. 'Echt, Evelyn, soms heb je een hoofd als een zeef,' legde Bill geduldig uit.

Ik was helemaal niet het type om zo op de tijd te letten, maar nu raakte ik in paniek. Ik was dat laatste vrije weekend ongesteld geweest; dat wist ik heel zeker. Het was de eerste keer geweest sinds ik met de pil was gestopt. Ik besloot er pas iets van tegen Derek te zeggen als ik zekerheid had.

Ik liet een test doen en met trillende handen belde ik het nummer van de dokterspraktijk om de resultaten te horen. Ik stond in een enorme tweestrijd. Aan de ene kant wilde ik verschrikkelijk graag een positief resultaat hebben, aan de andere kant smeekte ik om respijt. Ik woog beide mogelijkheden af. In deze moderne tijd zou ik toch heus wel kunnen blijven doorwerken, hoewel ik me er heel goed van bewust was dat het idee om instructeur op Tulliallan te worden absoluut uitgesloten was. Zou het kunnen dat Derek me expres zwanger had gemaakt? Zou hij dat echt gepland hebben? Mijn gedachten zwierven terug naar de zomer en zijn voortdurende bezorgdheid dat ik dood zou gaan als ik niet met de pil stopte. Ik schudde mijn hoofd. Nee, hij zou toch niet zó ver zijn gegaan om me ervan te weerhouden naar de politieacademie te gaan? Stel dat ik in verwachting was? Zou ik het hem vergeven? In gedachten was ik al boos en verbitterd dat hij dit zonder erover te praten zou kunnen doen. Aan de andere kant had ik zo verstandig moeten zijn mijn dromen en ambities voor me te houden. Ik probeerde me voor te stellen hoe het zou zijn om mijn eigen baby in mijn armen te houden. Ik had andermans baby's vastgehouden en het knagende verlangen gevoeld. Wanneer ik met een geval van wiegendood te maken kreeg had ik met de ouders gehuild als ik de kleine, volmaakte baby onderzocht op tekenen van duidelijk letsel. Het smartelijke gejammer vanuit een moederhart bij het verlies van haar pasgeboren kind kent zijn weerga niet. Zou ik zulke hartverscheurende pijn willen riskeren? Eindelijk nam de assistente op. Ik wachtte ongeduldig terwijl ze vlug door de dossiers heen ging. 'Mevrouw Stones? Ja, het resultaat is positief. Wilt u misschien een afspraak met de dokter maken? Hallo...?'

Verbijsterd had ik, zonder te bedanken of 'tot ziens' te zeggen, de hoorn op de haak gelegd. Ik bleef nog een hele tijd zitten en probeerde de gevolgen van mijn zo-even vastgestelde toestand tot me door te laten dringen.

Ik schrok op van het doordringende gerinkel van de telefoon.

'Evvy, kom je vandaag nog?'

Het was Bill; ik had de tijd uit het oog verloren, maar ik wilde voorlopig alleen zijn en zei hem dat ik een knallende hoofdpijn had. 'Wil je me bij inspecteur Turner verontschuldigen?' Hij wist dat er iets niet goed was, maar ik maakte me van hem af. Derek had het recht om als eerste te weten dat hij vader zou worden, maar op dit moment wilde ik het geheim nog even koesteren en alleen met mijn baby zijn.

Ik reed met mijn rode mini Edinburgh in en liep met de stroom mensen mee over Princes Street tot ik een winkel vond waar ik tot dan nog nooit een voet binnen had gezet. Terwijl ik betaalde voor de fluisterzachte babyschoentjes, wist ik dat ik echt een baby ging krijgen en ik voelde een enorme blijdschap over me komen. Ik belde Derek vanuit een telefooncel en huilde van vreugde toen ik hem het nieuws vertelde.

'Ik weet wat je me komt vertellen.' Hoofdinspecteur Cunningham leunde met haar kin op haar samengevouwen handen en keek me recht aan. Ik dacht dat ik verwijt en afkeuring in haar gezichtsuitdrukking zag. 'Nou, het eerste wat we moeten doen is je van de straat halen,' zei ze terwijl ze de telefoon oppakte en haar secretaresse vroeg om inspecteur Turner te bellen. Ik had het gevoel of ik haar en al mijn collega's in de steek had gelaten.

'Doe niet zo dwaas, mens. Als dat was wat je wilde, vind ik het fantastisch voor je.' Ze was kortaf, maar vriendelijk. Ik luisterde uitdrukkingsloos terwijl zij in de hoorn tegen Jock Turner blafte. 'Ze moet onmiddellijk van straatdienst ontheven worden.' Ze zou hem laten weten wat er met mij moest gebeuren nadat ze met de hoofdcommissaris had gesproken.

Het was alsof ik onzichtbaar was geworden. Ik zat te duimen in de hoop dat ze in de komende lange maanden iets voor me te doen zouden vinden.

Jessie zei: 'Je mag niet tillen, kind, en je moet maar veel koolnat drinken.' Koolnat was wel het laatste waaraan ik wilde beginnen, maar ik glimlachte tegen haar terwijl ze verderging. 'Als je een jongen wilt, moet je zoveel mogelijk hartige dingen eten en zoetigheid als je een meisje wilt.' Arme Jessie en haar bakerpraatjes.

Derek behandelde me als een breekbaar glazen poppetje en de mannen op mijn werk brachten me kopjes thee. Ik was op het bureau van de hoofdcommissaris aangesteld als hoofdcontactpersoon voor jeugdzaken. Het was beter dan dat ik ontslag moest nemen, maar ik vond het stomvervelend om op kantoor vast te zitten en was vaak in de districtsrechtbank ernaast te vinden waar een paar van de oudgedienden werkten.

Op een dag vroeg de gerechtsdienaar me om een oogje te houden op een gevangene die op haar proces wachtte. Het was Pamela Farqhar die ik, en met mij alle andere politieagenten op het bureau, heel goed kende. Dat vond ik geen probleem en ik nam mijn breiwerk mee. Ik had besloten dat ik iets voor mijn nieuwe baby wilde gaan breien. Afgezien van de keer in het klooster toen ik een sok had leren breien, had ik nog nooit een breinaald vastgehouden.

'Dat ga je een kleintje toch niet aantrekken!' flapte Pamela eruit toen ze een tijdje zwijgend had zitten toekijken terwijl ik met het kledingstukje worstelde. Haar stem klonk beschuldigend.

Ik gaf haar het breiwerk aan en keek gefascineerd toe hoe de naalden door de wol vlogen.

Pamela had bijna de helft van haar tweeënvijftig jaar korte gevangenisstraffen uitgezeten. Helaas was ze geïnstitutionaliseerd en ging ze, zodra ze was vrijgelaten, weer een andere misdaad plegen.

Op een gedenkwaardige zondag was ze het politiebureau binnengewandeld en had een paar grote plastic tassen vol boodschappen op de balie geleegd.

'Ziezo, die klus is klaar en wat gaan jullie daar aan doen?' vroeg ze trots.

De anderen die dienstdeden stoven weg en ik keek in wanhoop naar haar buit. Ik ging wel tien winkels rond, maar geen ervan kon met zekerheid zeggen dat de artikelen die ik liet zien gestolen waren.

'Sorry, Pam, ik zal je moeten laten gaan.'

Ze smeekte me om haar op te sluiten. 'Luister, wijfie, als ik niet voor maandag om tien uur terug ben, raak ik mijn baantje in de machinewerkplaats kwijt.'

Het was vruchteloos. 'Pam, er is geen bewijs dat de spullen gestolen zijn – dat weet jij beter dan ik. Vooruit nu, wegwezen!' Ik stuurde haar weg met het gestolen goed en ging terug naar mijn thee. Nog geen tien minuten later werd er een telefoontje naar het alarmnummer aan het bureau doorgegeven. We troffen Pamela aan op de grond, midden tussen de scherven van een grote winkelruit van de Co-op die over de straat verspreid lagen. Er stond een enorme menigte toeschouwers

201

om haar heen en de baksteen die ze had gebruikt hield ze dicht tegen haar borst gedrukt.

'O, Pamela, wat moeten we met jou beginnen?' Het was een retorische vraag. Ik wist precies wat zij van ons verlangde. En nu kon ik haar die dienst bewijzen.

'Zorg er alleen voor dat ik maandagochtend de eerste ben die naar die stomme sheriff van jullie kan,' was haar antwoord op de tenlastelegging.

'Ellendige smeerlap! Dat was minstens zes maanden waard,' krijste ze tegen de arme oude sheriff Findlay die zo vriendelijk was haar tot drie maanden te veroordelen. Ik moest haar de rechtszaal uit slepen terwijl ze nog steeds keihard schreeuwde hoe onrechtvaardig die armzalige strafmaat was.

Maar desalniettemin mocht ik haar bijzonder graag. Ze had een scherp gevoel voor humor en was verschrikkelijk ad rem. Ze vond het hoogst amusant hoe onnozel de jongere generatie was en hoe lichtgelovig een paar bewakers waren. 'Ik doe net of ik heel vroom ben, weet je,' vertelde ze me met haar ogen ten hemel geslagen, en bedoelde daarmee dat ze extra gunsten zou kunnen krijgen van één bepaalde bewaker die bijzonder godsdienstig was. Jaren geleden was ze getrouwd geweest en had de twee kinderen uit haar huwelijk verloren door een brand die door een frituurpan was ontstaan. Haar man was in slaap gevallen nadat hij het gas onder de pan had aangestoken. 'Ik heb de ellendeling eruit gegooid; hij heeft mijn kinderen verbrand.' Meer wilde ze niet zeggen over dat deel van haar leven; daarna was de gevangenis het enige thuis dat ze kende.

Een beambte van de gevangenis belde me een paar dagen later op en vroeg of ik het erg zou vinden dat de gevangenen de babyuitzet voor mijn baby maakten. Natuurlijk vond ik dat niet erg. 'We gaan een verloting houden en de winnaar mag de doopjurk maken,' voegde ze eraan toe. Ik moest dan alleen voor de wol betalen. Het scheen dat de gevangenen

voortdurend tegen de verveling vochten. Ik was ontroerd en
dankbaar.

Ik heb nooit ingezien wat het voor zin heeft om vrouwen
in de gevangenis te stoppen. Afgezien van de enkele uitzondering waren ze niet slecht in de zin van misdadig. Eén arme
vrouw had levenslang gekregen omdat ze haar man had vermoord, een bruut die haar gedurende een periode van vijftien
jaar had gemarteld en verkracht. Toen ze niet meer kon had
ze hem een schaar diep in zijn borst gestoken waarbij ze zijn
hart raakte. Hij was op slag dood. 'Het is het waard,' fluisterde ze toen het vonnis werd geveld.

Een paar jaar later overleed Pamela zoals ze zou hebben
gewild, omringd door het gevangenispersoneel in de zieken-
boeg. Op haar begrafenis waren veel politiemensen en ge-
vangenisbeambten aanwezig; Pamela Farqhar zou tevreden
zijn geweest dat de enige 'familie' die zij had aan haar graf
een gebed uitsprak. Ik hoopte dat er voor haar een machinewerkplaats in de hemel was.

Shiona en ik werden naar Engeland gestuurd om een gevangene op te halen die naar aanleiding van een aanhoudingsbevel in Chester was gearresteerd.

'Pas op voor haar, het is een wilde,' zei de brigadier van het
politiebureau toen ze ons naar haar cel bracht.

Maggie Ingles lag in elkaar gedoken op de smerige brits
hartverscheurend te snikken. De brigadier liet het verder aan
ons over, blij dat ze ontheven was van de verantwoordelijkheid voor die 'wilde Schotse' vrouw.

'Ze willen me niet vertellen waar mijn kinderen zijn.' Geen
wonder dat ze razend werd. Ze had een aanhoudingsbevel
gekregen voor onderzoek naar haar inkomen om zich te ver-
antwoorden wegens de aanklacht van uitkeringsfraude, maar
was niet verschenen. Dat was de 'misdaad' die ze had begaan. Voor de eigenlijke fraude zou ze geen gevangenisstraf

hebben gekregen aangezien het haar eerste overtreding was, maar ze had zich het ongenoegen van het hof op de hals gehaald door niet op de juiste datum te verschijnen. Ze was uit Schotland weggegaan en was er niet van op de hoogte dat de rechtbank haar wilde ondervragen. Toen de politie bij het krieken van de dag voor haar deur stond – altijd een goed moment voor een dagvaarding – en haar arresteerde, sloegen alle stoppen bij haar door. Ze namen haar drie kinderen mee en vertelden haar niet waar die naartoe werden gebracht. Wij slaagden erin die informatie te krijgen en ze bedaarde. In de trein terug naar Schotland was het met ons drieën af en toe een vrolijke boel. Vreemden zouden ons voor vriendinnen op een dagje uit hebben aangezien.

'Een politieagent moet zijn plichten vervullen volgens de wet, zonder vrees, partijdigheid, beïnvloeding, kwaadwilligheid of slechte wil' stond er in de leerstof die we meekregen bij het begin van onze loopbaan. Maar er ontbrak één essentiële eigenschap aan deze instructie: die van mededogen. Hoe kan iemand bijvoorbeeld een aanklacht tegen een oud dametje indienen wegens winkeldiefstal van een blikje John West roze zalm of een blik ham? We praatten er niet over, maar ik weet zeker dat ik niet de enige was die zo'n oud mensje naar huis had gebracht voor een praatje en een kop thee en het 'bewijsmateriaal' in mijn kast had bewaard voor ik het naar de winkelier terugbracht. Wat had het voor zin om kinderen weg te halen bij een hevig depressieve moeder die niet meer de moeite nam haar huis schoon te maken, het niet kon schelen waar haar kinderen zaten of wat ze deden en tot over haar oren in de schulden zat, terwijl een telefoontje naar de kinderbescherming haar de hulp bezorgd zou hebben die ze nodig had om haar leven weer op een rijtje te zetten? Wij vermeden het zoveel mogelijk om gebruik te maken van de pas opgerichte afdeling voor maatschappelijk werk:

wij wantrouwden elkaar. Dat wantrouwen werd nog vergroot in die afschuwelijke week toen in de rivier het lijkje van een kleine jongen werd gevonden. Alle verloven bij de politie werden ingetrokken en we deden overwerk om huis aan huis inlichtingen in te winnen en de rivieroever uit te kammen op 'aanwijzingen'. 'De dader moet worden gevonden,' beval onze hoofdcommissaris volkomen overbodig; zo dachten we er allemaal over.

Drie dagen later kwam een jonge maatschappelijk werkster, een vrouw uit de middenstand, het bureau binnenlopen. Zakelijk en met harde stem deelde ze de inspecteur mede dat ze de moordenaar een paar dagen onderdak had verleend om hem gelegenheid te geven 'bij te komen van zijn trauma' dat hij het kind had gewurgd en het kleine, slappe lichaam in de rivier had gegooid. Ze had buitengewoon veel geluk dat haar niet ten laste gelegd werd dat ze de tijd van de politie verspild had. Voor politieagenten leek het dat maatschappelijk werkers en werksters erin geloofden de misdadiger te beschermen die 'maatschappelijke problemen' had of 'asociaal' was of als kind 'misdeeld' was geweest en daardoor geen straf, maar hulp verdiende. De politie zag misdaad echter zoals die werkelijk was: een verwoestende, verschrikkelijke inbreuk op het leven van mensen.

Maar ik zou het allemaal missen: de kameraadschap, de vrolijkheid, de tranen, het plezier dat je een of andere ongelukkige ziel had geholpen een volgende dag onder ogen te zien. Met grote tegenzin en triestheid nam ik mijn ontslag. De benodigde formaliteiten overrompelden me. In die tijd bestond er nog niet zoiets als zwangerschapsverlof voor vrouwelijke politieagenten; de hoge heren die de Equal Opportunities Act hadden samengesteld hadden het leger en de politie daarvan vrijgesteld. Ik leverde mijn uniform en machtigingskaart in bij de kledingafdeling op het hoofdbureau.

'Ik moet uw fluit en epauletnummers ook hebben,' zei de efficiënte bediende tegen me. Ik vroeg sarcastisch of ik ook nog mijn handtekening onder de wet op officiële geheimen moest weghalen; heel onredelijk was ik boos op hem. Ik was weer burger en nog eentje die hoogzwanger was ook. Natuurlijk zei iedereen op het bureau me dat ik elk moment langs kon komen. Maar zo werkt het niet: ex-smerissen zijn voor een druk politiebureau de grootste lastposten die je je kunt indenken. Ze zijn uitgestapt, als het ware, en het is onmogelijk ze bij de gesprekken te betrekken. De gebruikelijke prietpraat tijdens de pauzes betekent niets voor hen. Niets is triester dan een gepensioneerde politieagent die op zijn oude bureau rondhangt; hij is simpelweg ongewenst en doet niet meer ter zake. Onderzoek uit die tijd wijst uit dat de levensverwachting van een gepensioneerde beroepspolitieagent slechts zes jaar is.

Ik bestudeerde de envelop, draaide hem een paar keer om en om en probeerde te raden waarom een notaris in Glasgow mij zou schrijven. 'McDonald, McBride en Pringle SSC Writer to the Signet' stond erop. 'We hebben van onze cliënt, de heer Desmond Doyle, opdracht gekregen u te schrijven aangaande de woon- en verblijfplaats van mevrouw E. Doyle.' Zo te zien probeerde mijn vader een scheiding van mijn echte moeder te krijgen om de weduwe uit Bowmore te kunnen trouwen. Ik stond verbaasd over zijn brutaliteit. Als hij me had opgebeld zou ik er nog over hebben gedacht hem te helpen, maar dat zou hebben betekend dat hij dat halsstarrige hoofd moest buigen. Hij moet hebben gedacht dat ik geïntimideerd zou zijn door een brief van een notaris en onmiddellijk zou bijten.

Derek vond dat ik hem moest helpen. 'Hij is tenslotte je vader en hoe hij Jessie heeft behandeld had eigenlijk niets met jou te maken.' Hij voegde eraan toe dat mijn vader misschien zijn redenen had gehad om zich zo te gedragen. 'Jij weet ook niet wat er in hun relatie speelde.'

Het enige dat ik wist was dat hij zich erg wreed had gedragen en als hij deze 'weduwe' echt moest hebben, zou het niet meer dan fatsoenlijk zijn geweest om uit de bungalow te vertrekken en Jessie in ieder geval haar huis te laten houden. 'Jezus! Evelyn, ze haat je en heeft dat altijd gedaan, zie je dat niet?' zei Derek.

Ja, ik zag het, hoewel ik niet kon begrijpen waarom ze me nog steeds een kwaad hart toedroeg. Ik nam aan dat het nu simpelweg een gewoonte was. Misschien vond ze het vervelend dat ze van mij afhankelijk was. Misschien dacht ze dat Maurice haar in huis zou hebben genomen als ik haar niet was blijven helpen. Van ons zessen was Maurice de enige van wie Jessie zichzelf overtuigd had dat hij haar echte zoon was. Kevin en Dermot, mijn jongste broers, kwamen vaak bij mij thuis en ze wrong zich in de meest onmogelijke bochten om hen te ontwijken. Kevins schattige baby, Tracy-Jane, bestond niet voor haar en ze was bruusk en beledigend tegen Dermots vrouw Elsie, een van de aardigste vrouwen op de wereld. Ik had medelijden met Jessie omdat ze zo de kans miste om echt deel van een familie uit te maken, en dat had wel gekund als ze had gewild. Talloze keren hebben mensen me gevraagd waarom ik in deze situatie toch een dochter voor haar wilde blijven; het antwoord is dat ik het gewoon niet weet, maar misschien voelde ik me schuldig voor het verschrikkelijke leven dat ze bij mijn vader had gehad. Ik heb het nooit een opgave gevonden om aardig te zijn voor oude mensen, vooral zij die een heel zwaar leven hebben gehad, zoals zoveel mensen van Jessies generatie.

Maar het bleef me amuseren hoe Jessie de schijn ophield dat ze me aardig vond. Ze stond erop dat ze met het huishouden en kleine klusjes in de tuin hielp. 'Je moet nu oppassen, kind. Je mag in jouw toestand niet bukken en tillen,' zei ze dan, waarna ze vervolgens Maurice opbelde en hem vertelde dat ik bloemen uit haar tuin stal.

Ik zei niets tegen Jessie over de brief. Ik dacht dat het haar van streek zou maken en ze hoefde eigenlijk niet te weten dat papa van plan was te trouwen. Ik antwoordde aan McDonald, McBride en Pringle dat ik geen idee had waar mijn werkelijke moeder was en dat het me speet dat ik hen niet verder van dienst kon zijn. Pa trouwde, maar ik kreeg geen uitnodiging voor de bruiloft.

18

Mijn baby kon nu elke dag ter wereld komen en ik werd zenuwachtig en opgewonden. De voorgaande maanden waren voorbij gekropen en ik popelde van ongeduld om te bevallen – niet in het minst omdat ik bijna twintig kilo was aangekomen en ondraaglijke rugpijn had – en het kind in mijn armen te houden. Mijn koffer stond inmiddels al meer dan vier weken gepakt en de babyuitzet stond gewassen en al in de nieuwe kinderkamer klaar. Heel onbewust had ik gedaan wat mijn vader voor mij, zijn eerstgeboren kind, deed: ik kocht een prachtige, marineblauwe kinderwagen met banden met witte zijkanten, en een enorme kap afgezet met franje er op. Mijn baby zou vanaf het allereerste begin het beste krijgen. Afgezien van de enkele opmerking over mijn toestand, had Jessie geen enkele belangstelling voor de voorbereidingen voor de grootste gebeurtenis van mijn leven.

Terwijl Jessie en ik in mijn keuken thee zaten te drinken, ging er opeens een ontzettende pijnscheut door me heen. Ik schreeuwde het uit en sloeg dubbel.

'Allemensen, het begint, Jessie. Vlug, bel Derek!' Ik raakte in paniek en durfde me niet te bewegen. Alle instructies en advies die ik de afgelopen zes maanden had gekregen waren in één klap uit mijn hoofd verdwenen.

Jessie zat onverstoord naar me te kijken. Er verscheen een vreemde uitdrukking op haar gezicht. 'O, dat gaat nog wel uren duren. Het valt er heus niet uit, hoor.' Het klonk bits en ze ging staan om de kopjes op te ruimen. De weé ging voorbij.

'Ik ben bang, Jessie. Wil je bij me blijven tot Derek thuis is?' Met trillende hand stak ik een sigaret op. Ik had de baby al een dag of twee niet meer voelen bewegen en ik was bang dat de baby gehandicapt zou zijn of erger, dood. Ik was eenendertig en in het ziekenhuis hadden ze 'oudere primigravida' op mijn kaart geschreven.

'Maak er nou verdorie niet zoveel ophef over! Het is niet het eerste en zal ook niet het laatste kind zijn dat wordt geboren.' Ik had er helemaal geen zin in om ruzie met haar te krijgen, maar de scherpte in Jessies stem overviel me. Zo had ze niet meer tegen me gesproken sinds de tijd dat ik zo'n jaar of veertien was en naar ik zeker wist zeker ook niet tegen iemand anders. Jessie was wat je zou kunnen omschrijven als een verzoener en áls ze al uitgesproken meningen had heb ik die nooit gehoord. Je kon haar juist heel gemakkelijk intimideren en ik lette voortdurend op dat ze niet werd uitgebuit. Ik keek naar haar en zag iets in haar ogen dat ik nog niet eerder had gezien of opgemerkt.

'Jessie, ga eens even zitten!' Het leek of ze me niet gehoord had en ze draaide me de rug toe. Terwijl ze uit het raam naar buiten keek zag ik haar schouders op en neer gaan; ze huilde. Ik was er verlegen mee en langzaam draaide ik haar om zodat ze me aankeek. Geschokt zag ik het enorme verdriet en de pijn in haar betraande ogen.

'Zeg me wat je dwarszit. Ben je bang dat de kanker terugkomt?'
Ik probeerde zo rustig mogelijk te doen.
Ze schudde haar hoofd. 'Nee, kind, het is niet de kanker...' Ze kon niet verder.
Nu maakte ik me echt zorgen. Wat ter wereld kon haar zoveel lijden bezorgen? 'Jessie, je moet me vertellen wat er aan

de hand is. Wat het ook is, het kan worden opgelost. Toe, er kan toch niets zijn dat zó verschrikkelijk is?' Ik gaf haar een papieren zakdoekje en wachtte terwijl zij haar ogen droogde. Ze begon te vertellen en geschokt en vol medelijden luisterde ik toe.

'Toen je vader een kamer bij me kwam huren, verwachtte ik niet veel van het leven. Hij was heel knap en gul en hij lachte altijd. Toen hij me vertelde dat hij van me hield moest ik een heel moeilijk besluit nemen. Met Davie had ik geen leven; hij was een werkschuwe slappeling, weet je. Ik werkte van de vroege ochtend tot de late avond, soms had ik drie baantjes om de eindjes aan elkaar te knopen. Davie verdronk het geld zodra ik het verdiende. Ja, het was van de hand in de tand leven. Ik wist dat ik er binnen niet al te lange tijd geweest zou zijn als ik bij Davie bleef – ik had er over gedacht mezelf om het leven te brengen, weet je.'

Ik viel haar niet in de rede, hoewel de pijn in mijn buik knaagde. Ik moest de rest horen en ik was bang de betovering te verbreken. Jessie ging door een andere tijd en een andere plaats heen. Dat moest ze alleen doen en het brak haar hart.

'Je herinnert je nog wel mijn moeder, hè?' Jessie keek neer op haar knokige handen. 'Nou, ik wist dat ze slecht voor je was. Ik had haar kunnen tegenhouden, maar ik deed het niet. Zij was ook slecht voor mij toen ik nog kind was. Maar dat ik je vader ontmoette gaf mij de kracht om me tegen haar te verzetten en toen ik uiteindelijk het besluit nam samen met hem uit Yorkshire weg te gaan, liet ik mijn Myrna bij haar achter.' Ze zweeg even terwijl ze haar ogen droog depte. 'Ik zei haar dat ik haar zou vermoorden als ze haar ook maar één haar op het hoofd krenkte en ik meende het ook!' Ze keek me nu aan.

Ik kon geen woord uitbrengen toen de schok van haar openbaring tot me doordrong. Jessie was moeder.

211

'Dat ik Myrna, mijn lieve, kleine meisje achterliet,' ze hield haar hand voor haar mond maar een droge snik ontsnapte, 'je weet wel, naar Myrna Loy, de filmster – terwijl ze nog maar negen jaar was, even oud als jij – brak mijn hart. Ik probeerde zo vaak ik kon eruit te breken om naar haar toe te gaan. Herinner je je nog dat ik wel eens een paar dagen wegging? Dan was ik daar. Ze heeft het me nooit vergeven. Ik probeerde van je te houden, Evelyn, maar, God vergeve het me, ik moest het leven voor jou even ellendig maken als dat van Myrna in mijn gedachten was.'

Ik was verbijsterd. Ik had er geen flauw idee van gehad dat ze moeder was. Het was nooit bij me opgekomen. Arme Jessie: al die jaren had haar hart om haar dochter gehuild.

'Het spijt me', was het enige dat ik kon uitbrengen.

'Ik heb zelf dat besluit genomen en niemand anders. Als ik erop had aangedrongen zou je vader ermee hebben ingestemd om haar mee te laten komen. In zekere zin ben ik blij dat ik dat niet heb gedaan. Je vader was hard voor jullie allemaal. Die rottige rechtszaak heeft hem veranderd; daarna is hij nooit dezelfde geworden. Ik zou hem hebben vermoord als hij mijn kleine meisje pijn gedaan zou hebben.' Er was duidelijk een lading in mijn keuken. De kleine ruimte scheen gevuld met alle opgehoopte ellende die ze door de jaren heen had doorgemaakt.

'Waarom ben je bij hem gebleven? Je was toch niet met hem getrouwd,' kwam ik. We waren tenslotte allemaal, zodra we konden, vertrokken en hoewel ik in het begin niet gelukkig met Derek was geweest, wist ik voor mezelf heel zeker dat ik het van een man die zo moeilijk was als papa nooit zou hebben geslikt.

'Ik had het hem beloofd; ik breek nooit een belofte, je kent me.'

Het leek mij een onvoldoende reden. Jessie wilde praten, dus liet ik haar verdergaan. Dat was ik haar op z'n minst verplicht.

'Toen Des me vroeg of ik met hem mee naar Ierland wilde gaan en voor zijn zes kinderen zorgen, vertelde hij me dat zijn kinderen een moeder nodig hadden. Hij vertelde me dat jullie allemaal naar een huishoud- en nijverheidsschool waren gestuurd nadat jullie moeder de dag na Kerstmis haar gezin in de steek had gelaten. Klaarblijkelijk hadden je grootmoeder en haar andere dochters aangeboden voor jullie te zorgen. Maar je vader weigerde: wat hem betrof bestonden zij niet meer. Toen je vader me dit vertelde was hij onder de indruk dat hij jullie ieder moment weer naar huis kon halen, aangezien hij vrijwillig de toewijzingspapieren had getekend. Hij wist dat er niet veel tijd meer was. Hij legde uit dat enkele scholen berucht waren om de wreedheden en het misbruik die er plaatsvonden, met name de Christian Brothers die Artane runden en de Sisters of Mercy in Goldenbridge in Dublin. Jij, als oudste, zou van de zorg van de Sisters of Charity and the Poor naar een van de strengere tehuizen worden overgebracht wanneer je tien jaar werd, en dat duurde niet lang meer. Hij had iemand nodig om voor zijn kinderen te zorgen, zodat hij jullie allemaal zo snel mogelijk naar huis kon halen.'

Jessie tuurde een ogenblik in haar theekop. Heel even vroeg ik me af of ze probeerde de toekomst te voorspellen, iets waarvan ze vaak zei dat ze dat kon. Toen keek ze me recht aan en vertelde mij haar verhaal. En deze ene keer wist ik dat ze niet overdreef of de details mooier maakte dan ze waren, zoals ze gewoonlijk deed wanneer ze meelijwekkende verhalen opdiste – 'romantiseren' noemde mijn vader het.

Hij had het allemaal zo gemakkelijk laten klinken; hij had zelfs laten doorschemeren dat hij verliefd op haar werd.

Jessie had meer dan tien jaar in haar ellendige huwelijk opgesloten gezeten. De oorlogsjaren, toen David gemobiliseerd was, hadden enige verlichting gebracht. Ze had in de munitiefabriek gewerkt en voor het eerst in haar leven had ze haar eigen geld gehad. Ze ging zelfs met de meisjes van de fabriek mee als ze gingen dansen. Jessie had een paar keer met bezoekende soldaten geflirt. 'Niets serieus, hoor – net genoeg om me het gevoel te geven dat ik aantrekkelijk en begerenswaard was. Maar er was beslist geen seks.' Ze huiverde even. Maar toen David aan het eind van de oorlog gedemobiliseerd werd was hij chagrijniger dan ooit en dronk te veel. Hij wilde geen baan zoeken. Hij blies zijn oorlogservaring op en overdreef. Jessie ontdekte later dat hij in Schotland in de marinewinkel gestationeerd was geweest. Ze berustte in een leven van zwoegen en geestdodend werk met deze ellendige man. Waar kon ze heen als ze bij hem wegging, had ze zichzelf vaak afgevraagd.

Als door een wonder was deze knappe, jonge Ier op een vrijdagavond in haar leven gekomen toen ze naar de Horse and Hounds, de pub op het dorpsplein, was gegaan voor haar gebruikelijke spelletje domino met een paar vaste klanten. Ze was verrast geweest toen een knappe vreemdeling haar zei dat hij op zoek was naar haar. Ze had er spijt van dat ze haar gezicht niet had gewassen of een beetje lippenstift op had gedaan. Ze wenste dat ze die avond iets behoorlijks had aangetrokken – ze had simpelweg vlug een van Davids oude overjassen aangeschoten. De man was op zoek naar kamers en in eerste instantie weigerde Jessie hem omdat hij een Ier was. Vervolgens bekeek ze hem eens goed en kwam tot de slotsom dat hij niet de doorsnee onbehouwen rouwdouwer was zoals de meeste Ierse bouwvakkers schenen te zijn en ze bood hem kost en inwoning aan, waarbij ze duimde en hoopte dat ze later geen spijt van haar beslissing zou krijgen.

'Toen hij me vroeg om met hem weg te gaan dacht ik dat dit mijn laatste kans op een beetje geluk zou zijn. Maar ik vroeg me wel af hoe ik het op mijn leeftijd met zes kinderen plus mijn eigen kind zou redden; ik ben tien jaar ouder dan je vader, weet je,' voegde ze eraan toe. Papa vertelde haar dat ik al een heel moedertje was en praktisch van klein kind af aan al voor mijn broertjes had gezorgd. Hij zei haar dat ze zich geen zorgen hoefde te maken en beloofde dat alles in orde zou komen. Ze besloot dat ze deze kans moest nemen, ook al zou de prijs hoog zijn.

'Mijn moeder waarschuwde me dat die "Ierse sukkel" me niets dan hartzeer zou brengen. Ik moest erom lachen; dit kwam van een vrouw die er werkeloos had bijgestaan toen haar nieuwe echtgenoot mij vanaf de leeftijd van elf jaar had geslagen en mishandeld en nog geen troostend woord of liefkozing voor me had overgehad. Toen ik nog maar zes jaar oud was had deze moeder mijn vingertopjes op het gloeiende keukenfornuis gehouden om me een lesje te leren over het stelen van vlees. Ik mocht van haar nooit stilzitten en uitrusten maar moest, zonder beloning, vanaf het moment dat de school uit was tot ver na middernacht in de familiepatatkraam het vuile werk doen. Mijn moeders bezorgdheid klonk onoprecht.' Jessie was duidelijk nog steeds boos op haar moeder.

Ik begreep het. Haar moeder had een wrede karaktertrek laten zien toen ze bij ons in Manchester woonde. Ze wachtte altijd tot ik er was en gaf dan met veel vertoon van geringschatting voor mij alle jongens een munt van zes pence, maar mij niet. Of ze maakte een heerlijke ovenschotel en deinsde er niet voor terug mij te vertellen dat ik het wel kon doen met de twee sneden brood met margarine waaruit ons gebruikelijke avondeten bestond. Ja, ik wist heel goed hoe wreed haar moeder kon zijn.

Jessie ging verder: 'Het kon me niet schelen wat mam zei. Ik nam het risico met je vader. Ze vertelde me dat zij voor Myrna zou zorgen. Geluk heeft zijn prijs, zeggen ze.'

Toen ze naar Ierland vertrokken zat Jessie naast papa zo ver ze kon op de achterste bank van de bus weggedoken. Ze verbeeldde zich dat iedereen in de bus wist dat ze wegliep; ze deed haar uiterste best om het gevoel van schuld en schaamte van zich af te zetten toen de bus luidruchtig tegen de steile heuvel vanaf het verlaten dorpsplein reed. Terwijl de bus door het kale, verlaten heidegebied in het Penninisch Gebergte richting Manchester kronkelde, tuurde Jessie in het duister en veroorloofde zich de luxe van een paar tranen.

'Ik was niet godsdienstig, maar ik vroeg God om vergiffenis. Diep in mijn binnenste wist ik dat ik een fout beging, veronderstel ik. Toen mijn weerspiegeling in de donkere ruit van de bus naar me terugstaarde, was het alsof ik naar een ander keek.'

Hoewel papa had gedaan of het heel gemakkelijk was om samen met hem naar Dublin te gaan en voor zijn kinderen te zorgen, was het al binnen enkele weken na hun komst in Dublin duidelijk dat hij zich had vergist door te denken dat hij hen zomaar eventjes uit de inrichtingen kon weghalen. De minister van Onderwijs had aan hem over mij geschreven: 'Naar mijn mening zou het niet in het beste belang van het kind zijn om haar naar huis te sturen zolang er geen beschikking over geschikte vrouwelijke hulp is.' Papa was ontploft van woede, de eerste van tal van dat soort woedeaanvallen die Jessie door de jaren heen zou meemaken, en het schokte en beangstigde haar. Vervolgens vond er een lange, uitgesponnen juridische strijd plaats. Jessie zat er tussenin – iets waarop ze niet had gerekend. En dan was opa er nog, in Jessies ogen een ruzieachtige oude man die haar niet eens toestond het smerige huis waarin ze moest gaan wonen schoon te maken. Toen papa een week wegging om buiten de stad te werken had ze al die tijd met geen mens kunnen praten, aangezien ze in Dublin niemand kende. Daarbij kwam ook nog dat ze het gevoel had dat ik vijandig en uitdagend tegen haar deed wanneer ze met papa bij mij op bezoek kwam. En dat was ook zo. Al met al kwam ze tot de slotsom dat ze een ernstige fout begaan had en dat het misschien nog niet te laat zou zijn als ze naar Engeland terugging. 'Je vader haalde me in op het moment dat ik op de postboot zou stappen en smeekte me om te blijven. Je kent je vader. Bij het minste of geringste had hij zijn tranen klaar en ik had hem beloofd om met jullie allemaal te helpen.'

Toen ik eenmaal thuis was, bleek ik niet gemakkelijker te zijn, en geleidelijk aan ontwikkelde zich bij haar een wrevel ten opzichte van mij die de verschrikkelijke ruzie met opa over mij tot gevolg had. 'En kijk, je kreeg pianoles en er was sprake van dat je naar de muziekschool ging om niet minder dan operazangeres te worden! O ja, je grootvader had het hoog in de bol voor jou en je vader was het met hem eens. Nou, als het aan mij lag zou dat niet gaan gebeuren. Myrna moest het zonder haar moeder doen en als zij het niet kon krijgen, zou jij het evenmin krijgen. Zo zag ik dat.' Ze werd nu vinnig bij al die herinneringen. Ik wilde liever niet onderbreken; ik kon toch niets zeggen of toevoegen. Ze vertelde papa dat ik problemen veroorzaakte, dat ik lui en smerig was en dat ze daarom streng tegen me was. Ze had het zelfs moeilijk gevonden me bij de naam te noemen. Papa zei dat hij met zijn vader zou spreken, maar hij had er geen zin in met deze bizarre manier van doen te worden lastiggevallen en zei tegen Jessie dat ze minder streng voor me moest worden.

In de hevige ruzie tussen papa en opa die urenlang aan de gang bleef – de ruzie waarvan ik het laatste stuk had opgevangen – op die afschuwelijke dag dat opa van wie ik zo hield uit mijn leven verdween, zei opa tegen papa dat hij ervoor zou zorgen dat ik muziekles kreeg en dat mijn tijd als dienstmeid voor hem en Jessie voorbij was. Jessie had geprobeerd tussenbeide te komen, maar de twee mannen zeiden haar dat ze zich met haar eigen 'verdomde' zaken moest bemoeien. Tot grote opluchting van Jessie pakte opa zijn koffers en vertrok. Ze rekende er echter niet op dat papa haar van het hele fiasco de schuld zou geven en hun relatie ging er daardoor bepaald niet op vooruit.

'De meeste jongens waren oké, maar Dermot was precies als jij en ik zag mezelf in de val zitten zolang hij klein was. Het zou nog minstens vijf jaar duren voordat ik met een zuiver geweten zou kunnen vertrekken; nou, ik was vastbesloten dat jij het niet van mij zou winnen, dat stond vast.' Ik bespeurde een enorm berouw in haar stem toen die zachter van toon werd. Haar schuldgevoel voor talloze wreedheden vormde een zware last voor haar. Ik had zielsmedelijden met haar. Ze was vast van plan geweest te vertrekken toen we in Engeland aangekomen waren. Maar ze stelde het te lang uit om terug naar Yorkshire te gaan en moest het bijna twintig jaar zien uit te houden met naar papa's geschreeuw en gebrul te luisteren. Hij hield zelfs de schijn niet eens op dat er genegenheid was. Ze wist zeker dat hij naar andere vrouwen ging; hij ging nooit ergens met haar heen, alleen naar de PayLess voor de boodschappen en dan verwachtte hij dat zij betaalde. Papa vertelde haar dat hij geld verdiende wanneer hij naar de pub ging, maar zij zag er nooit iets van. Ze deed een briefje van tien pond in haar koektrommel wanneer ze dat maar kon missen: het appeltje voor de dorst waarvan ze hoopte dat papa het niet zou vinden.

Weer kromp ik in elkaar door een opkomende wee. Toen hij voorbij was krabbelde ik moeizaam overeind en ging thee zetten. Op dat moment was er niets dat ik tegen Jessie kon zeggen. Hoewel ze voor een aantal moeilijkheden in haar leven zelf verantwoordelijk was geweest, had ze onmiskenbaar door anderen geleden en haar problemen met gelatenheid gedragen. Ik zou ervoor zorgen dat ze nog een beetje plezier beleefde aan de rest van haar leven. We dronken onze thee in een bijna volkomen stilte.

Na een bevalling die een ongelooflijke zevenendertig uur duurde, en op de warmste dag van het jaar, kwam mijn prachtige kind op de wereld. Zijn kleine vingertjes krulden zich om mijn wijsvinger en ik beloofde hem dat niets hem ooit zou deren zolang ik leefde.

Vijf dagen later stapte ik mijn huis binnen met Ben op de arm. Jessie stond te wachten. Ze had overal in huis bloemen neergezet om me te verwelkomen.

Ik legde mijn lieve baby in haar armen. 'Hij heeft een grootmoeder nodig.'

Ik vond het niet erg dat haar tranen op zijn kleine hoofdje vielen.

Nawoord

Als er iets heel naars gebeurt, heb ik de gewoonte om tegen mijn zoon te zeggen: 'Maar wat doet het er over vijftig jaar nog toe?' En mijn vroege levensjaren lijken nu heel lang geleden. Als mensen me vragen hoe ik me details zo duidelijk kan herinneren, zeg ik naar waarheid dat je trauma of groot geluk niet kunt vergeten.

Bij het schrijven van deze autobiografie moest ik naar plaatsen gaan waarvan ik dacht dat ik ze al lang geleden achter me had gelaten. Een deel van die reis was even pijnlijk als de eerste keer dat ik de gebeurtenissen meemaakte. Maar het verleden mag het heden niet kleuren en ik heb geprobeerd volgens die regel te leven.

Mijn vader slaagde er niet in om te leren leven met de kaarten die het lot hem hadden toebedeeld en probeerde alles en iedereen die hem pijn zou kunnen doen uit zijn leven te bannen.

Als ik de indruk heb gewekt dat hij een monster was, vergeef het me dan; dat was hij allesbehalve. Hij was overdreven vrijgevig, vriendelijk, vaak heel grappig en zijn gevoel voor humor kende zijn weerga niet. Ondanks zijn duidelijke wreedheid jegens ons was hij extreem beschermend en ik weet zeker dat hij zijn leven voor ons zou hebben gegeven. Niets hiervan verontschuldigt zijn wrede manier van doen met ons, maar ik heb het hem volledig vergeven. Op zijn sterfbed vertelde hij me dat hij niets met zijn leven had gedaan. 'Het spijt me van alle narigheid,' zei hij. Hij zei er niet bij welke narigheid hij bedoelde, maar we wisten beiden dat hij het over onze ellendige jeugd in Manchester had. Ongeacht wat hij dacht, hij heeft zijn zes kinderen toch behoorlijk opgevoed. Wij – mijn broers en ik – leerden onafhankelijk, eerlijk en betrouwbaar te zijn en hebben allemaal een goed leven; en we hebben onze eigen kinderen met liefde en respect opgevoed. Hij stierf toen hij nog maar tweeënzestig was. Wat er ook op de overlijdensakte staat, ik denk dat hij de strijd voor het geluk en de vrede die hij voortdurend zocht, maar nooit vond, simpelweg heeft opgegeven. Zijn zes kinderen hebben zijn laatste nacht bij hem gewaakt toen hij moeizaam de weg ging van die eenzaamste reis naar de dood. Ik kuste hem, en zei: 'Dag, papa,' en ging een paar minuten voor hij stierf bij hem weg; ik kon het niet verdragen hem levenloos te zien, deze grote, sterke man die afwisselend van me had gehouden en me had getiranniseerd en van wie ik altijd was blijven houden. Ik weet dat Onze-Lieve-Vrouwe in de hemel voor hem zorgt.

Jessie leefde bijna tien jaar langer dan mijn vader. Ze was een fantastische oma voor mijn zoon en overlaadde hem met liefde en bescherming. Ik zei altijd tegen haar dat ze hem verwende, en trots gaf ze dan als weerwoord: 'Nou, daar zijn oma's ook voor!' en negeerde mijn verzuchting volledig. De kanker bleef zijn verwoestende werk in haar lichaam doen en ik raakte de tel kwijt van de keren dat ik Ben erop probeerde voor te bereiden dat zijn oma het niet lang meer zou maken. Ze giechelde als een schoolmeisje als de artsen haar weer respijt gaven: 'Ze zullen deze ouwe taaie moeten doodschieten.'

De waarheid is dat de laatste twintig jaar van haar leven haar gelukkigste jaren waren. Er ontstond een ongedwongen vriendschap tussen ons en toen ze, nog maar een paar maanden voor haar tachtigste verjaardag, langzaam wegzakte in haar laatste grote slaap, hield ik haar magere hand vast en zei tegen haar dat ik van haar hield. 'Wees maar niet bang, lieverd,' fluisterde ik in haar oor toen ze wegdreef. Ik hoop dat

221

ze me hoorde. Ik denk van wel, want een serene kalmte kwam over haar gerimpelde, zorgelijke gezicht. Op de dag dat ik mijn eigen kind ter wereld bracht was Jessie mijn moeder geworden en ik geloof dat ik echt van haar hield. Toen we haar kleine huis leeghaalden moesten we lachen toen we katholieke plaatjes, protestantse bijbels en de attributen van zwarte heksen vonden. Jessie had niets aan het toeval overgelaten en een plaatsje in iedere hemel die haar maar wilde hebben geboekt. Het één meter hoge beeld van de heilige Judas, de beschermheilige van hopeloze gevallen, is nog steeds bij mij. Ik wist niet wat ik er mee moest doen, maar ik kon het onmogelijk weggooien. Hij staat nu in een hoek van mijn studeerkamer en houdt voor Jessie een oogje in het zeil.

Ik heb vaak mannen ontmoet die me vertellen dat ze na een scheiding van hun echtgenote hun kinderen niet mogen zien. Onlangs ontmoette ik zo'n groep mannen in Dublin. Hun verdriet en hun pijn was zo hevig dat ik er diep door geraakt werd. Stilletjes huilde ik om deze mannen en hun kinderen die gedwongen zijn onnodig te rouwen. Mijn gebeden zijn met hen. Toen Derek en ik tot de pijnlijke conclusie kwamen dat wij zowel onszelf als Ben pijn deden door bij elkaar te blijven, betrokken we ook Ben in de gesprekken. Ben en ik hielpen Derek met de verhuizing naar een kleine, nieuwe bungalow op een paar minuten loopafstand, en hoewel Ben een tijdlang boos en bang was, hoorde ik hem tegen zijn vrienden zeggen dat hij nu twee huizen had waar hij kon wonen. Ik bleef goed bevriend met Derek, zelfs tijdens zijn uiterst korte en ongelukkige tweede huwelijk, en toen hij plotseling op de belachelijk jonge leeftijd van achtenvijftig jaar stierf was ik er kapot van. Derek had suikerziekte gekregen en in weerwil van wat zijn artsen hem zeiden, negeerde hij zijn ziekte volkomen. Drukte hij op de zelfvernietigingsknop? Mijn verdriet en schuldgevoel verscheurden me tot ik op een avond, een maand of zes later, een zeer levensechte droom had. Ik trok Dereks stropdas recht en veegde met mijn vingertoppen zijn revers af. 'Nou, ik moet er nu vandoor, hoor. Maak je geen zorgen. Met mij is het goed,' zei hij terwijl hij heel even mijn wang met zijn lippen beroerde. Toen was hij weg. Ik werd wakker met een gezicht dat nat was van tranen, maar mijn hart had vrede.

Ik heb meer dan dertig jaar lang geen contact met mijn moeder gehad en eerlijk gezegd denk ik niet aan haar. Ze heeft sinds die dag dat ik bij haar wegliep geen contact met mij of mijn broers gezocht, hoewel het gemakkelijk voor haar zou zijn geweest. Kevin ging om de paar jaar een keer bij haar langs toen hij in dezelfde streek rond Glasgow woonde als zij. Toen ik haar pas gevonden had vertelde ze me een keer dat ze haar dokter had verteld dat de baby die ze verwachtte, tien maanden nadat ze bij mijn vader was weggelopen, haar eerste kind was. Had ze zichzelf er misschien van overtuigd dat dit waar was?

Wat mij betreft: ik bereikte wat mijn vader nooit heeft gevonden. Ik ben zielsgelukkig met Michael en ik ben zijn 'doodgewone' familie dankbaar dat ze me in hun kring hebben binnengehaald: zijn fantastische vader en moeder, John en Mary, zijn erg geestige broer Keith, een vriendelijke, toegewijde onderwijzer en zijn lieve zus Moira. Ik ben tot vervelens toe trots op Ben, mijn zoon, een musicus met veel talent, die zonneschijn tijdens mijn regenachtige dagen was. Zijn speelsheid en jeugdig enthousiasme hebben me door een paar moeilijke perioden gesleept. Nu is hij zelf vader, en gelukkig met zijn aardige, aantrekkelijke partner Pamela.

Ik koester en aanbid mijn kleine kleinzoon Joshua en ik hoop dat hij moeiteloos deze grote reis die wij het leven noemen onderneemt. Maar ik ben van plan in de buurt te blijven tot hij een behoorlijk stuk op weg is.

Mijn lieve kleinzoon

Joshua, je hebt mijn hart gewonnen op die heerlijke dag in maart nog maar vier korte jaren geleden.

Toen ik je tegen me aan hield heb ik plechtig beloofd je te beschermen en voor altijd van je te houden.

Jouw wereld zal zo heel anders zijn dan die van mij; dat hoop ik althans vurig.

Jij zult geen armoede kennen of het verdriet om van iedereen van wie je houdt en van alles wat bekend is te worden gescheiden.

De wanhoop van het niet weten of er ooit geluk in deze wereld kan zijn zou nooit jouw deel moeten zijn.

Maar wees niet verdrietig om mij, want als ik terugkijk op al die jaren besef ik dat alles wat er is gebeurd, het goede en het verkeerde, het kostbare wandtapijt heeft gemaakt dat jij en ik zijn.

Oma